2色で楽しむ
刺繍生活

樋口愉美子

はじめに

たくさんの刺繍糸の中から、
2つ色を選んで刺す「2色刺繍」の本です。
前回の「1色刺繍」に続き、
今回も多くのかたにお使いいただけるよう、
シンプルで簡単なステッチの図案を紹介しています。
「2色刺繍」は、2つの色を組み合わせることで、
モチーフ（絵柄・図案）の印象が強調され、
仕上りがとても豊かになります。
優しい色の組合せで清楚に、
明るい色を組み合わせると元気に、
落ち着いた色の組合せは大人っぽく、
色の選び方でさまざまな印象の表現になります。
この本でつかっている色は、私の好きな色の組合せ。
みなさんも好みの色を自由に組み合わせて刺してみましょう。

刺繍ができたら、ぜひ、小さな雑貨に仕上げてみてください。
お手持ちの服やハンカチなどにワンポイントで刺繍するのもおすすめです。
そうして、手作りする楽しさを日々の中で感じていただけたらと思います。

Contents

Peacock garden	8 / 60		*Lily of the valley*	20 / 67
がま口ポーチ	6 / 76		アイマスク	21 / 81
Flower pattern	10 / 62		*Puffball*	22 / 68
ミニバッグ	7 / 76		がま口ネックレス	23 / 81
India pattern	12 / 64		*Zebra*	24 / 68
きんちゃく	13 / 77		ミニがま口ポーチ	25 / 56
Flower wreath	14 / 65		*Leaf pattern*	26 / 69
テーブルコースター	15 / 78		カードケース	27 / 82
Dancing birds	16 / 66		*Yacht*	28 / 69
眼鏡ケース	17 / 79		シャツ	29 / 83
Little trees	18 / 64		*Pineapple*	30 / 70
ネクタイ	19 / 80		ベビーパンツ	31 / 83

Little bird	32 / 70	
ベビーシューズ	33 / 58	

Summer flowers   34 / 72
レター型ポーチ   36 / 84

Fish ornament   37 / 71
オーナメント   37 / 85

Dill flower   38 / 70
ハンガーカバー   39 / 86

Radish   40 / 74
キッチンミトン   41 / 87

Pear   42 / 74
クロス   43 / 88

Pon pon flower   44 / 74
カフェエプロン   45 / 88

Tile pattern   46 / 75
サシェ   47 / 89

How to make

道具 49

糸 50

材料 51

ステッチと刺繡の基本 52

雑貨の作り方 56

Peacock garden
がま口ポーチ　Page.76

花咲く木をはさむようにクジャクを2匹にアレンジして、ポーチに仕立てました。

Flower pattern
ミニバッグ　　Page.76

刺繍の存在感を引き立てるシンプルなバッグ。たくさん刺しても、ワンポイントでも◯。

Peacock garden
Page.60

クジャクの住む庭には、たくさんの花が咲いています。どこか不思議な物語の刺繍です。

Flower pattern
Page.62

小さいながらも個性的な花々の図案は、強めの色の布を合わせるのがいいでしょう。

India pattern
Page.64

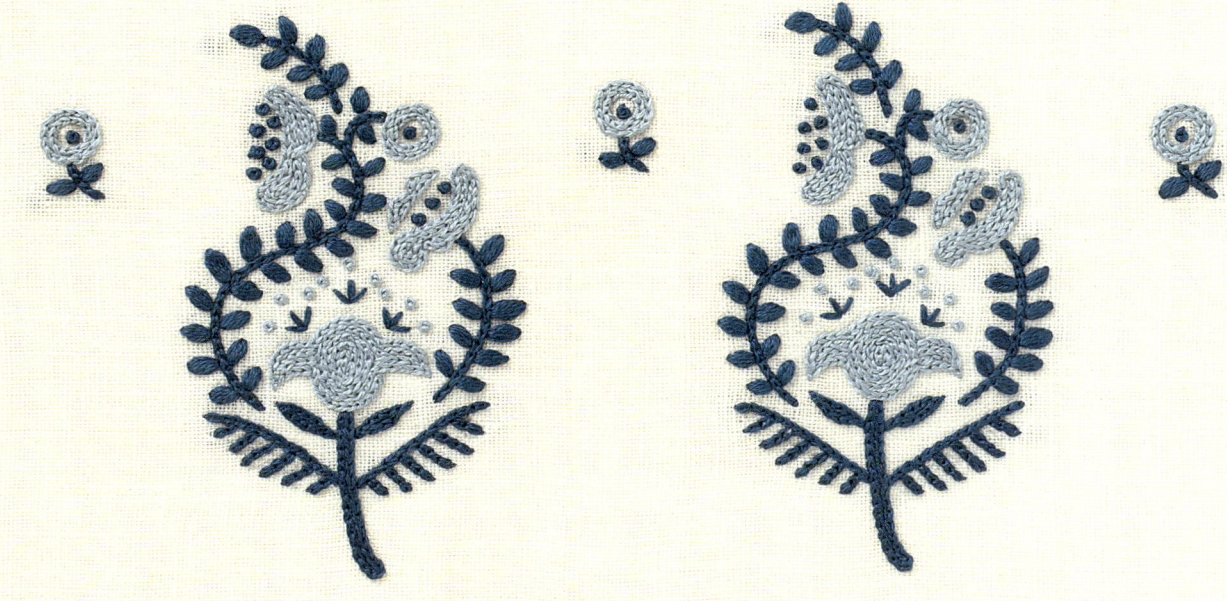

きんちゃく　*Page.77*

インドの伝統的な模様をイメージした図案です。袋口にも小さな花をちりばめて、贅沢なきんちゃくになりました。

Flower wreath
Page.65

テーブルコースター　Page.78

リース状にはったつるに立体的な花をあしらいました。大きめのコースターでテーブルをドレスアップしてみては。

Dancing birds
Page.66

眼鏡ケース　　*Page.79*

古典的なクロス・ステッチの図案をヒントに、尾を振って踊る鳥をシンメトリーに刺繍しました。落ち着いた色のリネンで大人っぽい眼鏡ケースに。

Little trees
Page.64

ネクタイ　Page.80

もこもこした立体感のある木々が
魅力的な図案。ネクタイは手縫い
で仕立てることができます。

Lily of the valley
Page.67

アイマスク　*Page.81*

静けさが漂うすずらんのアイマスク。中にキルト生地をはさんだ優しいつけ心地が、眠りの世界へ誘います。

Puffball
Page.68

がま口ネックレス　*Page.81*

ふわふわと胸もとに揺れる、たんぽぽの綿帽子。小さながま口をネックレスにしました。

Zebra
Page. 68

ミニがま口ポーチ　*Page.56*

チェーン・ステッチを重ねて刺繍することでシマウマの縞模様を表現しています。縞を省けば、もちろん馬に変身！

Leaf pattern
Page.69

カードケース　*Page.82*

連続した葉をシンメトリーにあしらったつる。ぐるりと内側まで刺して、カードケースに仕立てました。

Yacht
Page.69

シャツ　　Page.83

胸もとに漂う涼しげなヨットの刺繍。シンプルだからこそ、1つでも存在感があります。

Pineapple
Page.70

ベビーパンツ　　Page.83

フレッシュなパイナップルの図案。周りにも元気を振りまいてくれそうなベビーパンツに仕立てました。

Little bird
Page.70

ベビーシューズ　*Page.58*

生まれて間もないベビーの足を飛び回る鳥のシューズ。1羽だけにしてもかわいい！　贈り物にもおすすめです。

Summer flowers
Page.72

可憐な花びらの部分を淡いピンクでまとめて。濃淡の出る2色を選ぶのが配色のコツです。

Summer flowers
レター型ポーチ　Page.84

全面に刺繍を施した贅沢なポーチ。
グレー地に濃ピンクの糸が映える、
大人っぽい配色で仕立てました。

Fish ornament
オーナメント　Page.71, 85

花のモチーフをうろこに見立てた
お魚オーナメント。ポップな色合
いが似合います。ひもをつけてモ
ビールにしたり、壁飾りにしたり、
自由に楽しんで。

Dill flower
Page.70

ハンガーカバー　*Page.86*

フレンチナッツ・ステッチの小さな粒が印象的なディルフラワー。お気に入りの洋服を掛けて、お部屋のアクセントに。

Radish

Page.74

キッチンミトン　*Page.87*

シンプルにチェーン・ステッチで表現したラディッシュのミトン。料理の時間が楽しくなりますように！

Pear
Page.74

クロス　　*Page.88*

クロスの端に、洋ナシを並べました。モチーフの角度を少しずつ変えて配置することで、楽しい印象に仕上がります。

Pon pon flower
Page.74

カフェエプロン　*Page.88*

黄色いポンポン花をフレンチナッツ・ステッチで立体的に表現しました。優しい色合いのカフェエプロンは贈り物にも。

Tile pattern
Page.75

サシェ　*Page.89*

タイル模様をヒントにした図案は、清楚な香りをイメージした配色で仕上げました。後ろからポプリを入れる設計です。

How to make

刺繍を美しく仕上げるために、
最初に覚えたい基本のステッチやコツを紹介します。
図案の写し方や雑貨の作り方もこちらからどうぞ。

$\mathcal{T}ools$ 道具

....

1. **チョークペーパー**
   図案を布地に写すための複写紙。黒など濃色の布地に写す場合は白いチョークペーパーを使います。

2. **トレーシングペーパー**
   図案を写すための薄い紙。

3. **セロファン**
   トレーシングペーパーが破れないよう、図案を布地に写すときに使います。

4. **トレーサー**
   図案をなぞって布地に写すときに使用します。ボールペンなどで代用可能。

5. **目打ち**
   刺し直しをする場合にあると便利な道具。

6. **裁ちばさみ**
   切れ味のよい布専用のはさみを用意しましょう。

7. **刺繍枠**
   布をピンと張るための枠。枠の大きさは図案サイズで使い分けますが、直径10cm程度のものがおすすめです。

8. **ひも通し**
   きんちゃくなどのひもやゴムテープを通すときに。

9. **糸通し**
   針穴に糸を通すのが苦手な人に。

10. **糸切りばさみ**
    先のとがった刃の薄いタイプが使いやすいでしょう。

11. **針&ピンクッション**
    先のとがったフランス刺繍用の針を用意しましょう。25番刺繍糸の本数によって適した針が異なります。

Thread 糸

25番の刺繍糸が最もポピュラー。メーカーによって発色や色番号が異なります。本書ではフランスのDMCを使用しています。鮮やかな発色と艶のある質感が特徴です。1束の長さは8メートルほど。

糸の本数によって
針の太さを替えましょう

糸の本数によって針を替えると、ぐんと刺しやすくなります。布の厚さによっても変わるので、クロバーの針の目安を紹介します。

25番刺繍糸	刺繍針
6本どり	3・4号
3・4本どり	5・6号
1・2本どり	7〜10号

Materials 材料

2色刺繍を施した雑貨は、さまざまな色、風合いのリネンで仕立てました。平織りのリネンは刺繍しやすいうえ、洗濯ができ、手ざわりもよいので2色刺繍を楽しむのにぴったりな素材です。またポーチは、がま口の口金を使っています。

リネンはまず 水通しをしましょう

リネン生地は洗うと縮む特性があります。形くずれを防ぐためには、生地を裁つ前に水通しを行ないましょう。

1. たっぷりのぬるま湯や水に数時間漬け置いた後に洗濯。軽めに脱水します。

2. 日陰で干し、完全に乾く前に布目を整えながらアイロンをかけます。

ステッチと刺繍の基本

本書で使用した7種類のステッチと、きれいに仕上げるためのコツを紹介します。

Straight stitch
ストレート・ステッチ

短い線を描くときのステッチ。葉や茎などの図案に使用しています。

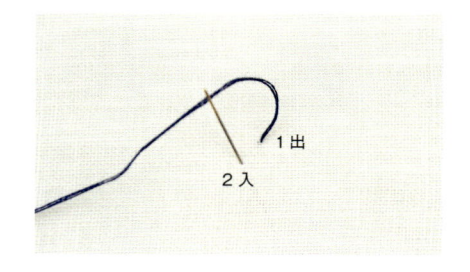

1出
2入

Outline stitch
アウトライン・ステッチ

縁とりなどに使います。カーブでは細かめに刺すときれいに仕上がります。

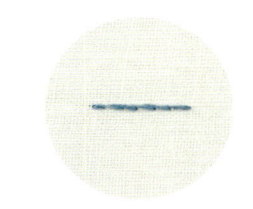

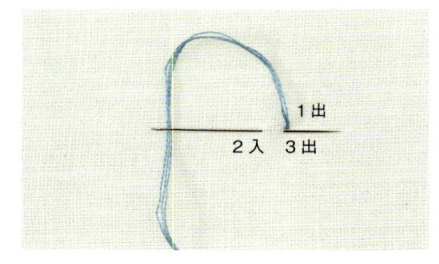

1出
2入 3出

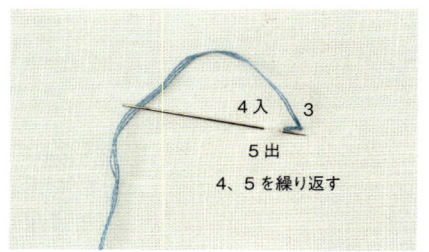

4入 3
5出
4、5を繰り返す

Chain stitch
チェーン・ステッチ

糸を強く引きすぎず、鎖をふっくらさせるのがきれいのコツです。

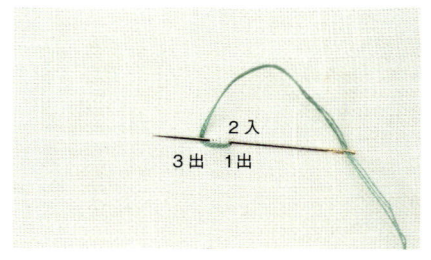

2入
3出 1出

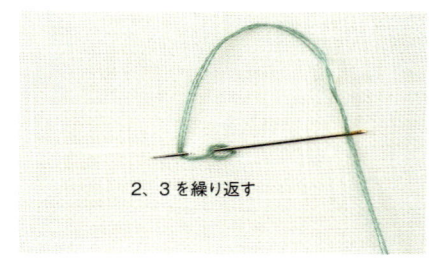

2、3を繰り返す

French knot stitch
フレンチナッツ・ステッチ

フレンチナッツ・ステッチは基本2回巻き。大きさは糸の本数で調整を。

糸を2度かける
1出
2入 1
かけた糸を指で押さえながら2に入れるとよい

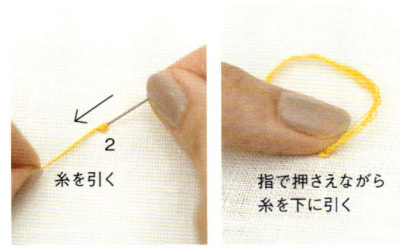

2
糸を引く
指で押さえながら糸を下に引く

Satin stitch
サテン・ステッチ

糸を平行に渡して、面を埋めるステッチ。ボリューム感を出したいときに。

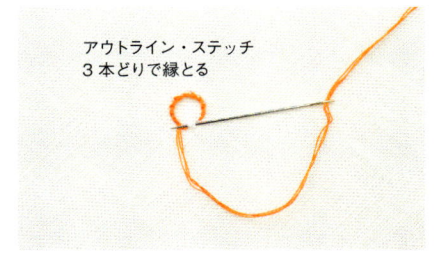

アウトライン・ステッチ
3本どりで縁とる

6本どりで縁とりを隠すように糸をかぶせる

Lazy daisy stitch
レゼーデージー・ステッチ

小花の花びらなど小さな模様を描くときのステッチ。

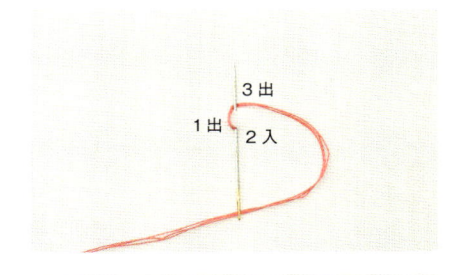

3出
1出
2入

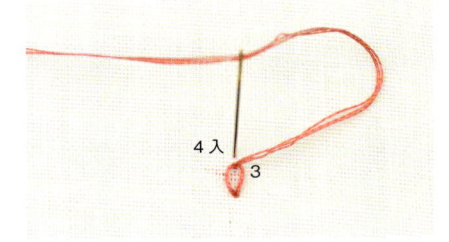

4入
3

Lazy daisy stitch + Straight stitch
レゼーデージー・ステッチ＋ストレート・ステッチ

レゼーデージー・ステッチの中央に糸を渡して、ボリューム感のあるだ円を表現。

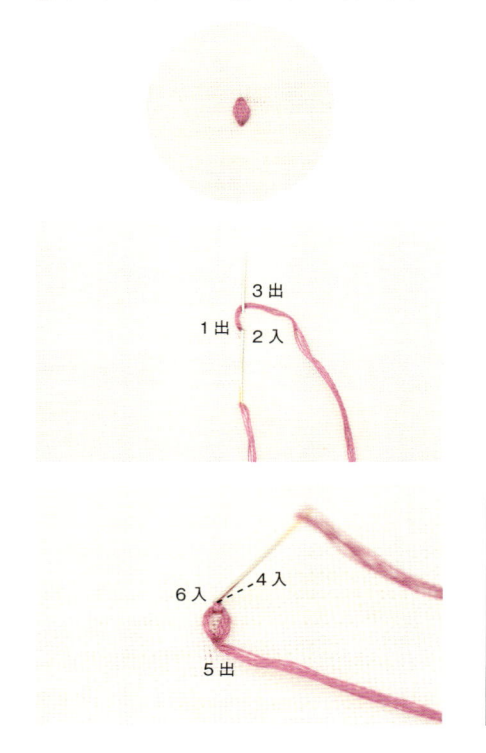

1出　3出　2入

6入　4入　5出

{ 角をきれいに刺す }

植物などチェーン・ステッチで角をきれいに描くには、角度を変える際、図案のやや内側を刺すのがポイントです。

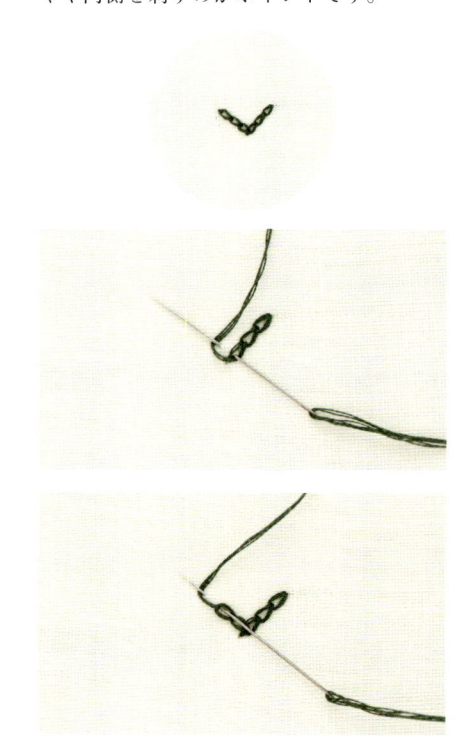

{ 面をきれいに埋める }

チェーン・ステッチやフレンチナッツ・ステッチなどで面を埋める場合、すきまができないように注意します。

1 図案の輪郭を刺します。

2 輪郭にそわせて2列目、3列目と外側から中心に向かって刺します。

{ 図案の写し方 }

まず布地に図案を写すところから始めましょう。図案は布地のたて糸とよこ糸にそって配置します。

1 図案にトレーシングペーパーをのせ、写します。

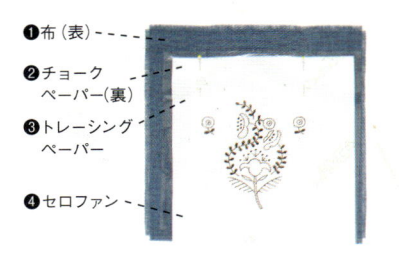

❶布(表)
❷チョークペーパー(裏)
❸トレーシングペーパー
❹セロファン

2 写真の順に重ね、まち針でとめてから、トレーサーで図案をなぞります。

{ 糸の扱い方 }

指定の本数を1本ずつ引き出し、そろえて使いましょう。毛並みがそろって仕上りが格段に美しくなります。

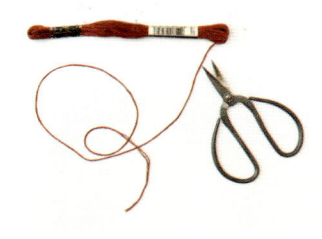

1 60cm程度の長さに引き出して糸を切ります。

2 より合わさった糸から、1本ずつ必要本数を引き出してそろえます。

{ 刺し始めと刺し終り }

刺し始めと終りの位置は自由です。ただ、刺すときは図案ごとに必ず玉止めをしましょう。

OK

1cm以上縫い目が飛ぶときは、必ず玉止めをします。

NG

図案ごとに玉止めをするのが基本。引っかけ防止にも有効です。

雑貨の作り方

Zebra
ミニがま口ポーチ

Page. 25

【仕上りサイズ】 9 × 7.5cm

【25番刺繍糸】

DMC B5200（白）— 1束

白馬の場合：DMC ecru（生成り）— 1束

DMC 310（黒）— 1束

【材料】 ※タッセルの材料は p.57 囲みを参照

表布：リネン（グリーン／白馬の場合
　　　ピンク）— 15 × 10cm　2枚

裏布：好みのリネン— 15 × 10cm　2枚

幅7.5cm 角丸がま口口金（金）— 1個

紙ひも— 適量

【道具】

がま口とりつけ用
木工用ボンド
目打ちまたはマイナスドライバー
足どめやっとこ

1 表布2枚の表に図案、裏に型紙（p.68）を写し、布を裁つ前に刺繍をする。
Point ゼブラ柄はチェーン・ステッチ（白）の上から（黒）を重ねる。

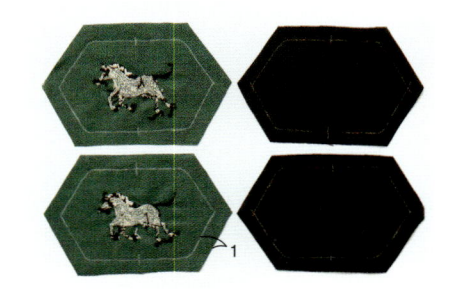

2 縫い代1cmを足して布を裁つ。裏布も同様に縫い代を足してから裁つ。

3 表布2枚を中表に合わせ、縫止りまで脇と底を縫う。裏布2枚も同様に縫い合わせる。縫い代は0.5cm残して裁つ。

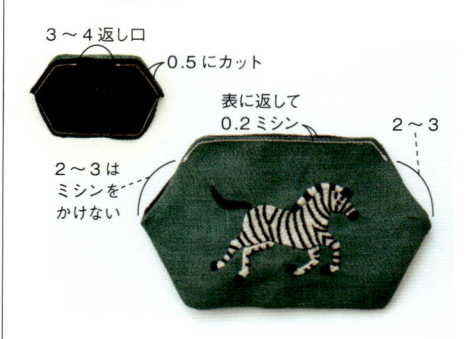

4 3の表袋と裏袋を中表に合わせ、返し口を3～4cm残して袋口を縫う。表に返し形を整え、袋口の端から0.2cmの位置にミシンステッチをかける。

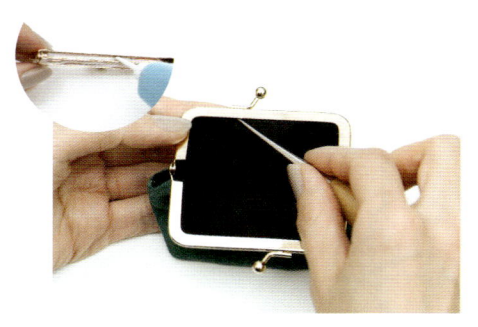

5　がま口の口金の内側に木工用ボンドを塗り、口金と袋の中心を合わせて袋口を口金の内側に奥まで差し入れる。

6　がま口の長さよりやや短めに切った紙ひもを、口金の内側に目打ち等で押し込み、口金の端を布きれではさんで、足どめやっとこを使って締める。

Tassel
刺繍糸で作る簡単タッセル

【材料】
25番刺繍糸 — 1束
太めの糸 — 15cm

【準備】 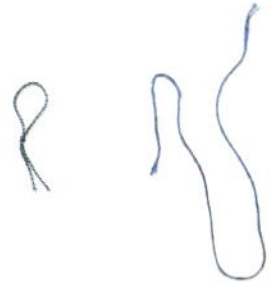
刺繍糸は30cmほど切って針に通す。太めの糸は輪にして固結びしておく。

1. 刺繍糸の束の中央に、輪にした太めの糸をはさみ込む。

2. 1の太めの糸を固定するように、針に通した刺繍糸を3〜4回巻きつける。

3. 2の刺繍糸を強く引き締めたら、中央に針を通す。

4. 束を中央から二つ折りにする。

5. 束中央の輪から1cmの位置に、2〜3の要領で刺繍糸を巻きつけて固定する。

6. 束に紙を巻いて、好みの長さの位置で束をカットする。

Little bird
ベビーシューズ

Page. 33

【仕上りサイズ】

10 × 5.5 × 4cm

【25番刺繍糸】

DMC 646（グレー）－1束
DMC ecru（生成り）－1束

【材料】

表布：リネン（黄色）
　－20×15cm　4枚
底布：リネン（黄色）
　－15×10cm　2枚
内側底布：フェルト（白）
　－12×8cm　2枚
ひも：リネン（黄色）－5×2cm　2枚

1　ひも用の布を幅0.5cmに四つ折りにしてミシンステッチをかける。

2　表布の表に図案、裏に型紙（p.93）を写して刺繍をする。

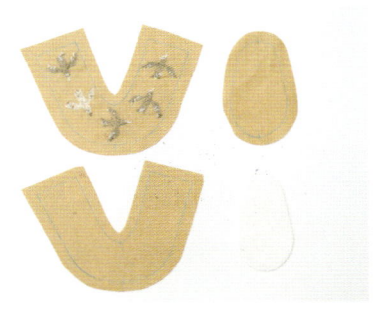

3　2の表布は、縫い代1cmを足して裁つ。残りの表布（裏布になる）、底布も型紙を写して同様に裁つ。フェルトは縫い代不要。

4　表布は中表に二つ折りにし、後ろ中央を縫って、縫い代を割る。裏布も同様に縫う。

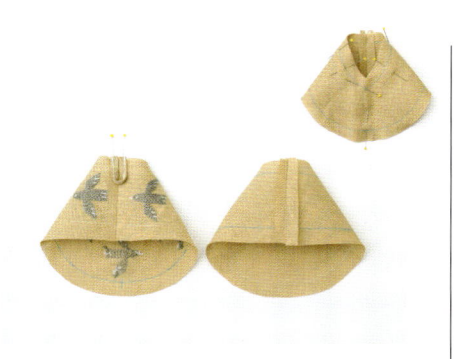

5 表布を表に返し、後ろ中央に 1 のひもをまち針でとめる。表布と裏布を中表に合わせる。

6 上端をぐるりと縫う。縫い代 0.5cm を残して裁ち、カーブに切込みを入れる。

0.5 にカット

7 表布が内側になるように表に返し、形を整える。

8 7 と底布を中表に合わせ、底面を縫う。

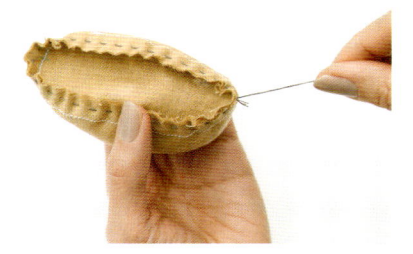

9 底面の縫い代をぐし縫いして縫い絞り、内側に折り込む。

10 フェルトを底面に重ねて、周囲をまつり、表に返す。

59

Peacock garden
Page. 8

◎ 25番刺繡糸 — ■ DMC ecru（生成り）
　　　　　　　■ DMC 3852（黄色）
※指定以外はチェーンS（3）
※Sはステッチの略、（　）の中の数字は本数

フレンチナッツS（3）

フレンチナッツS（3）
ストレートS（3）
アウトラインS（3）
ストレートS（3）
フレンチナッツS（6）
アウトラインS（3）
ストレートS（3）

60　図案集

フレンチナッツS（3）

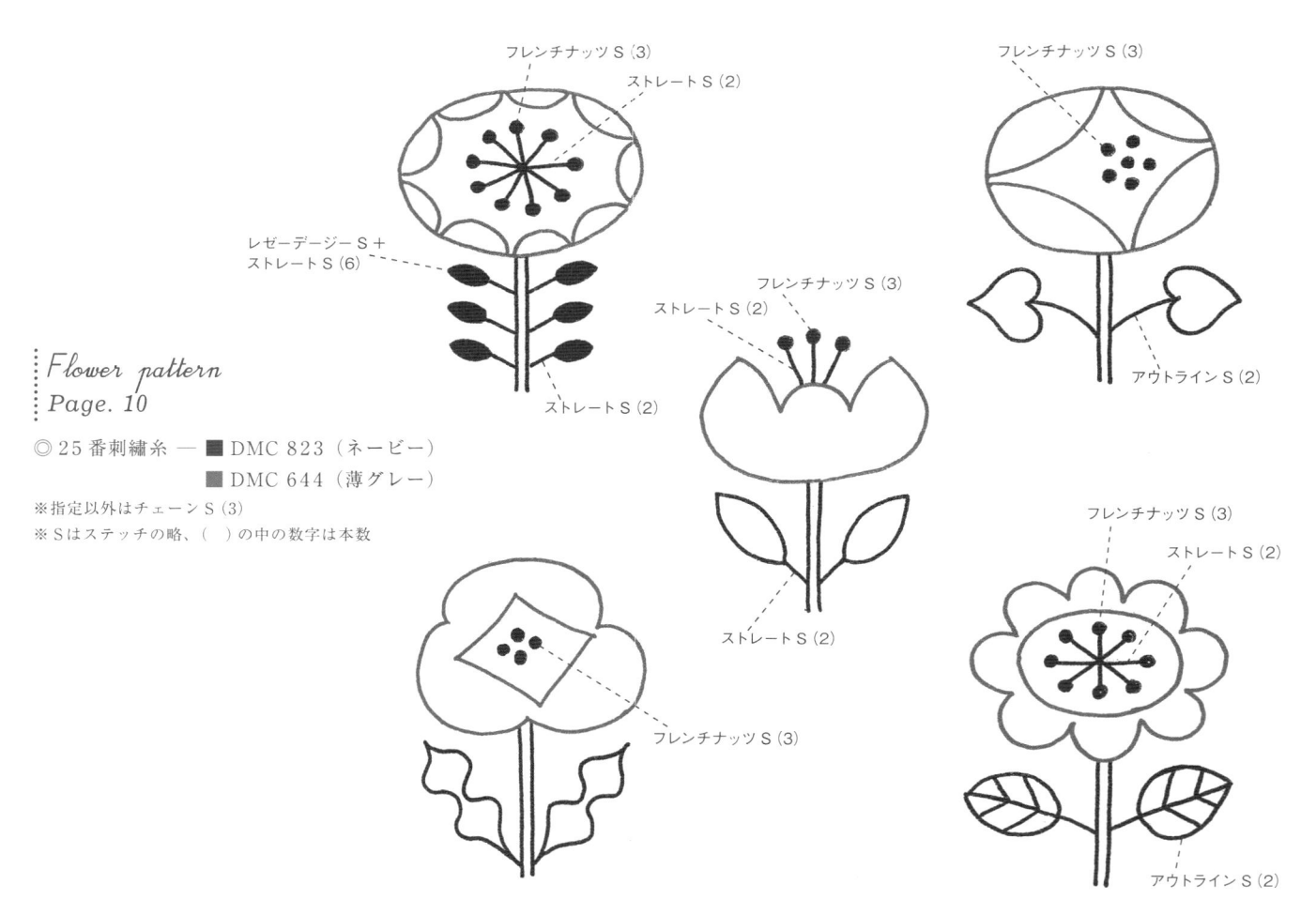

Flower pattern
Page. 10

◎ 25番刺繍糸 — ■ DMC 823（ネービー）
■ DMC 644（薄グレー）

※指定以外はチェーンS（3）
※Sはステッチの略、（ ）の中の数字は本数

フレンチナッツS（3）
ストレートS（2）
レザーデージーS＋ストレートS（6）
ストレートS（2）
フレンチナッツS（3）
ストレートS（2）
ストレートS（2）
フレンチナッツS（3）
フレンチナッツS（3）
アウトラインS（2）
フレンチナッツS（3）
ストレートS（2）
アウトラインS（2）

フレンチナッツS(3)
アウトラインS(2)
フレンチナッツS(3)
フレンチナッツS(3)
フレンチナッツS(3)
フレンチナッツS(3)
アウトラインS(2)
ストレートS(2)
フレンチナッツS(3)
アウトラインS(2)
フレンチナッツS(3)
ストレートS(2)
アウトラインS(2)

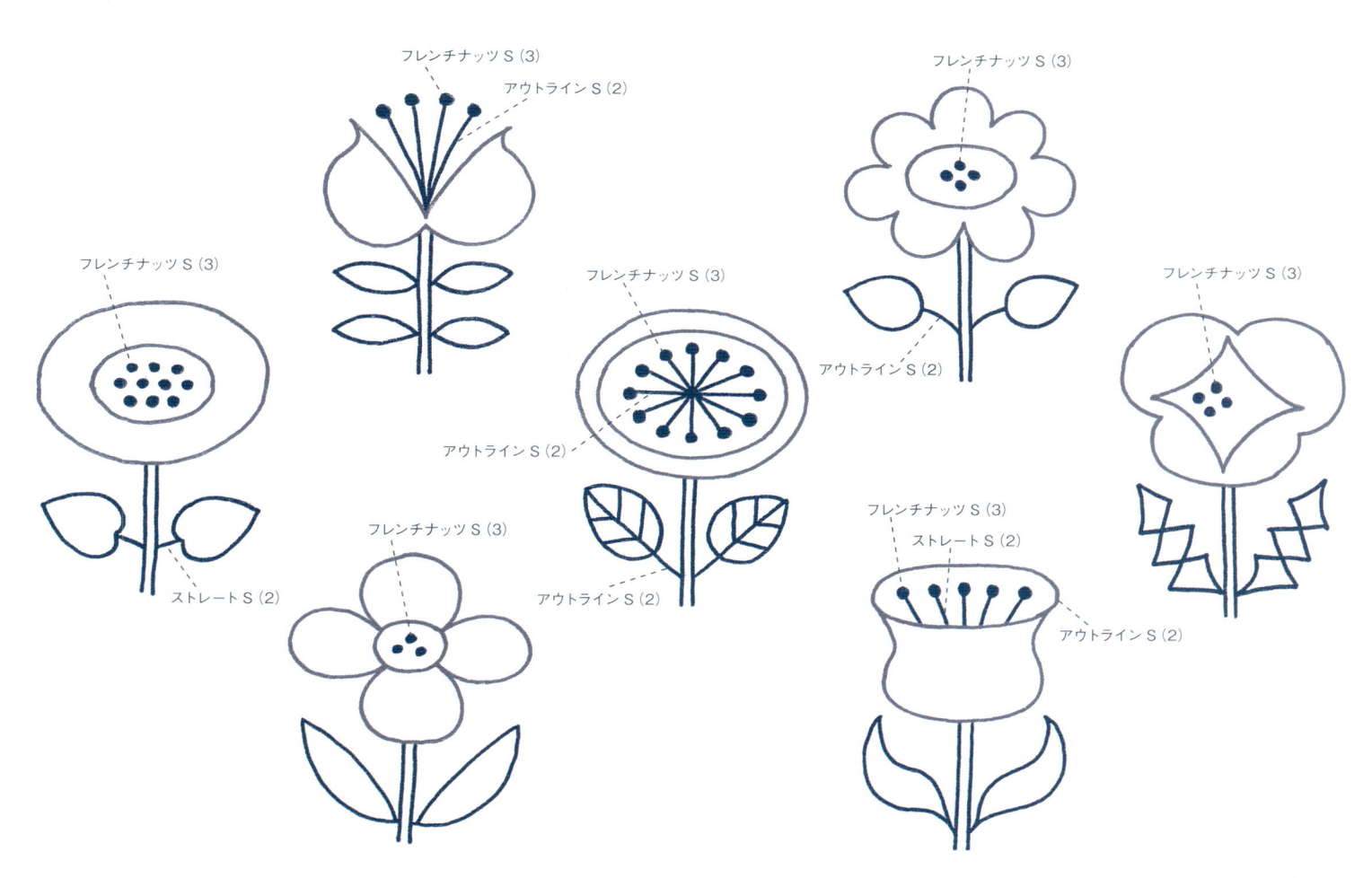

India pattern
Page. 12

◎ 25番刺繍糸 ― ■ DMC 311（青）
　　　　　　　■ DMC 932（水色）

※指定以外はチェーンS（3）
※Sはステッチの略、（ ）の中の数字は本数

- レゼーデージーS＋ストレートS（6）
- フレンチナッツS（3）
- ストレートS（3）
- フレンチナッツS（3）

Little trees
Page. 18

◎ 25番刺繍糸 ― ■ DMC 520（グリーン）
　　　　　　　■ DMC 3021（こげ茶）

※Sはステッチの略、（ ）の中の数字は本数

- フレンチナッツS（6）
- チェーンS（2）

Flower wreath
Page. 14

◎ 25番刺繡糸 — ■ DMC 939（ネービー）
　　　　　　　■ DMC 3743（薄紫）
※Sはステッチの略、（　）の中の数字は本数

レゼーデージー S（2）
チェーン S（3）
フレンチナッツ S（6）
レゼーデージー S ＋ ストレート S（6）
アウトライン S（3）
チェーン S（3）
フレンチナッツ S（6）
チェーン S（3）
アウトライン S（3）
フレンチナッツ S（6）
フレンチナッツ S（6）

Dancing birds
Page. 16

◎ 25番刺繍糸 ─ ■ DMC 3777（赤）
　　　　　　　■ DMC 739（アイボリー）
※指定以外はチェーンS（2）
※Sはステッチの略、（　）の中の数字は本数

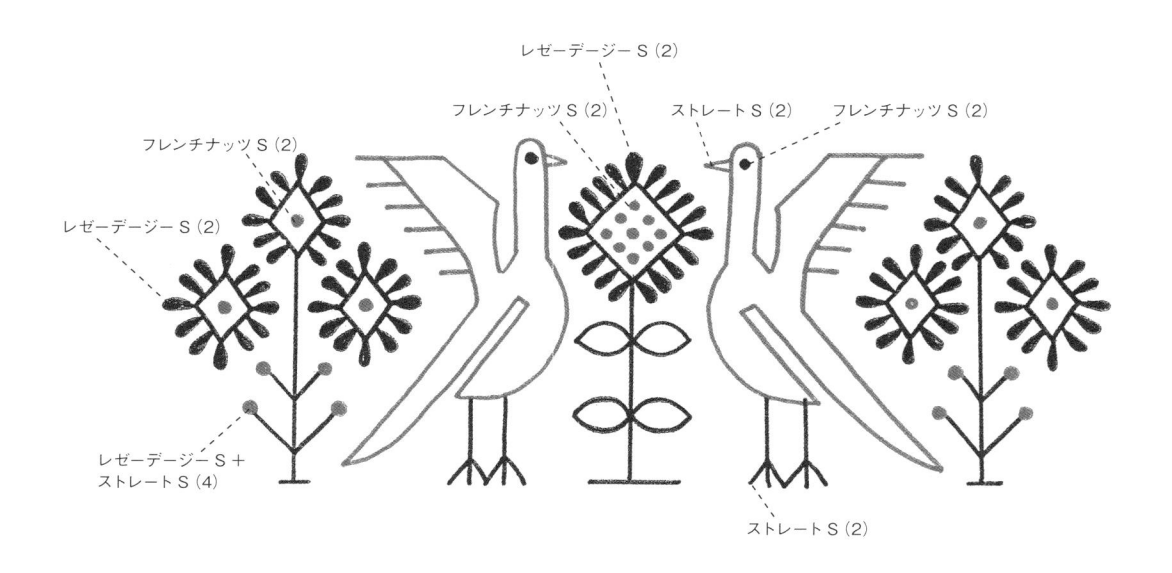

レゼーデージーS（2）

フレンチナッツS（2）　　ストレートS（2）　　フレンチナッツS（2）

フレンチナッツS（2）

レゼーデージーS（2）

レゼーデージーS＋
ストレートS（4）

ストレートS（2）

図案集

アウトライン S（3）　ストレート S（3）
レゼーデージー S ＋
ストレート S（6）

チェーン S（3）

Lily of the valley
Page. 20

◎ 25番刺繍糸 ― ■ DMC 890（グリーン）
　　　　　　　　■ DMC ecru（生成り）

※ Sはステッチの略、（ ）の中の数字は本数

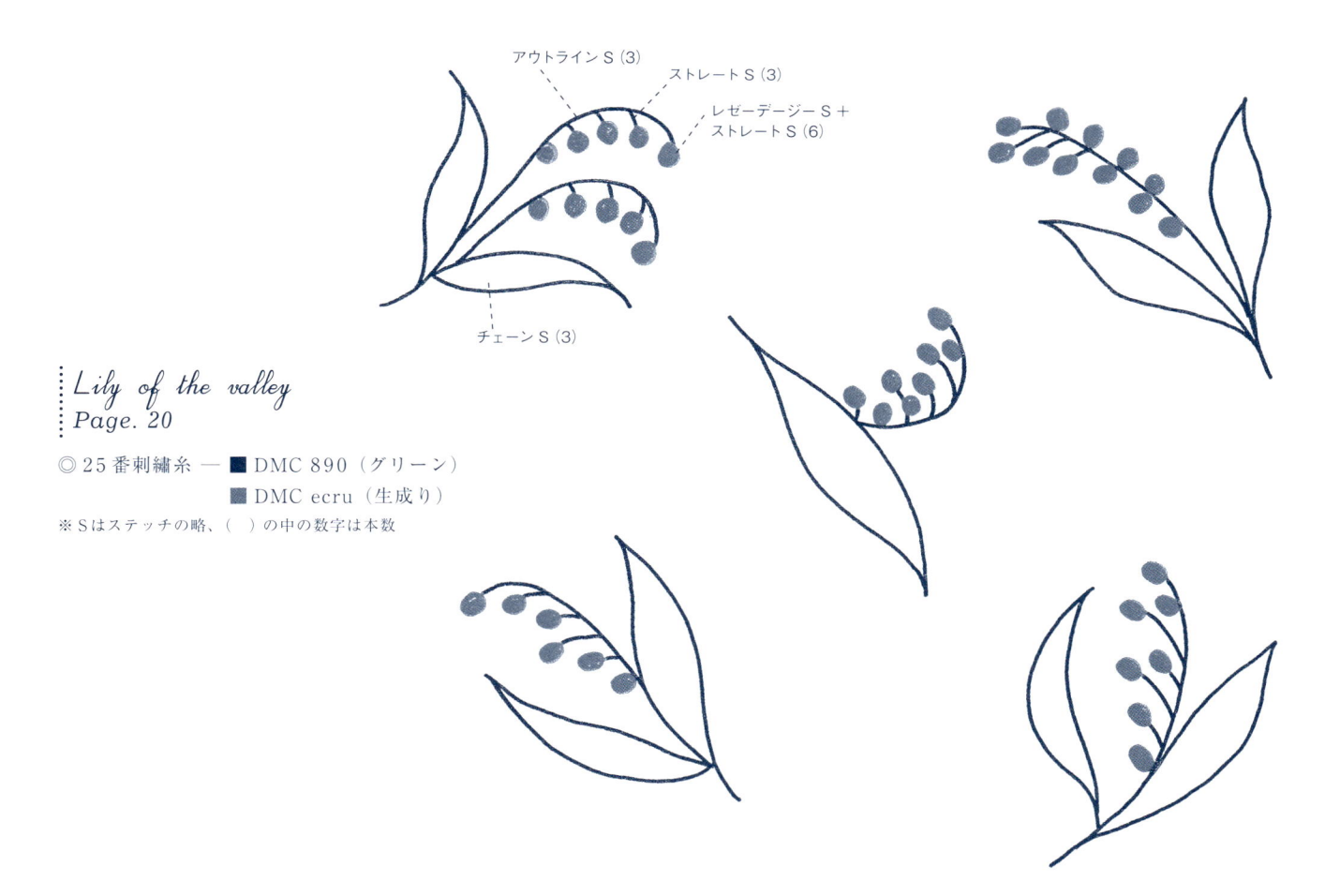

Puffball
Page. 22

◎ 25番刺繍糸 — ■ DMC 505（グリーン）
　　　　　　　　■ DMC 800（水色）

※がま口ネックレス（Page.23）の型紙つき
※Sはステッチの略、（　）の中の数字は本数

- フレンチナッツ S（6）
- ストレート S（4）
- チェーン S（2）
- アウトライン S（4）
- 縫止り
- 縫止り

Zebra
Page. 24

◎ 25番刺繍糸 — ■ DMC B5200（白）
　　　　　　　　■ DMC 310（黒）

※ミニがま口ポーチ（Page.25）の型紙つき
※Sはステッチの略、（　）の中の数字は本数

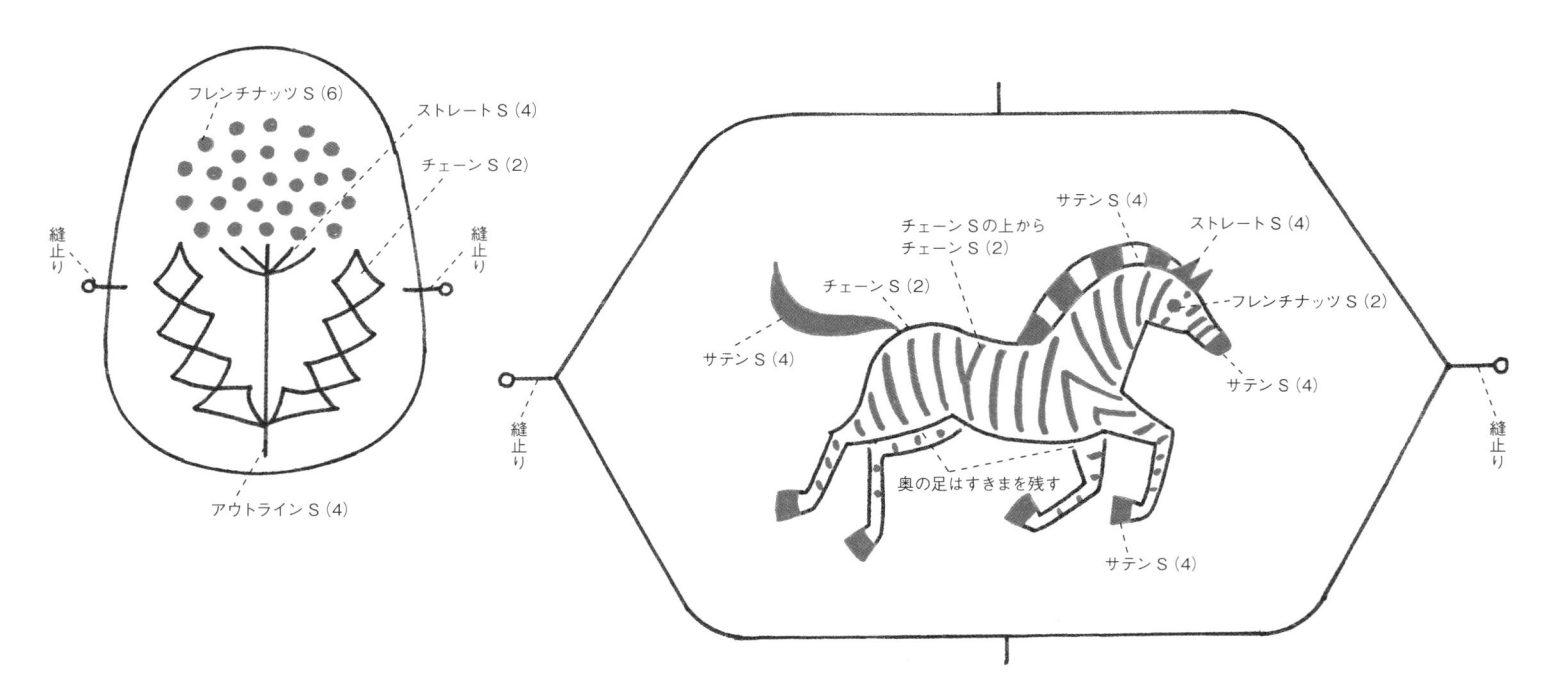

- チェーン S（2）
- サテン S（4）
- チェーン S の上からチェーン S（2）
- サテン S（4）
- ストレート S（4）
- フレンチナッツ S（2）
- サテン S（4）
- 奥の足はすきまを残す
- サテン S（4）
- 縫止り
- 縫止り

図案集

Leaf pattern
Page. 26

◎25番刺繍糸 ― ■ DMC B5200（白）
　　　　　　　■ DMC 823（ネービー）

※指定以外はチェーンS（3）
※Sはステッチの略、（　）の中の数字は本数

フレンチナッツS（3）
ストレートS（3）
ストレートS（2）

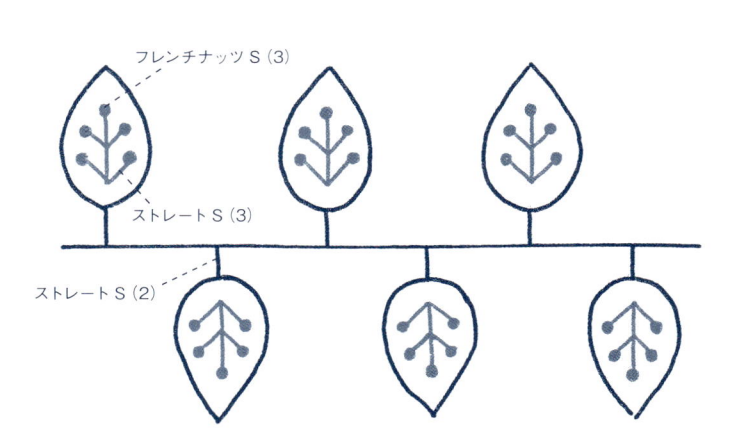

Yacht
Page. 28

◎25番刺繍糸 ― ■ DMC 3687（ピンク）
　　　　　　　■ DMC ecru（生成り）

※Sはステッチの略、（　）の中の数字は本数

チェーンS（3）
アウトラインS（6）
サテンS（6）

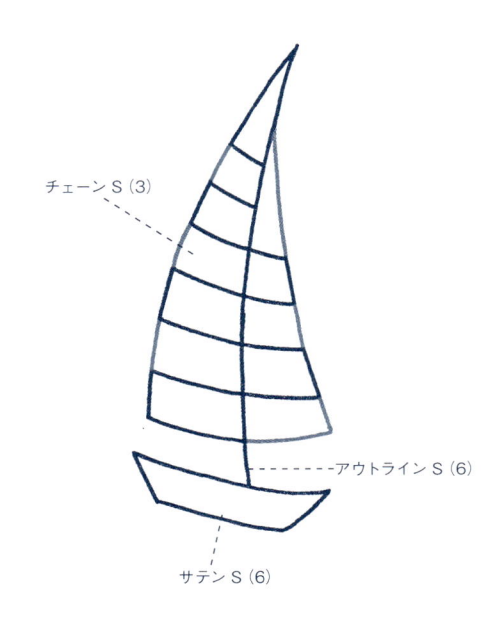

Pineapple
Page. 30

◎25番刺繍糸 ― ■ DMC 834（黄色）
　　　　　　　 ■ DMC 310（黒）
※Sはステッチの略、（　）の中の数字は本数

チェーンS（2）
フレンチナッツS（6）
アウトラインS（2）

Little bird
Page. 32

◎25番刺繍糸 ― ■ DMC 646（グレー）
　　　　　　　 ■ DMC ecru（生成り）
※Sはステッチの略、（　）の中の数字は本数

ストレートS（2）
ストレートS（2）
フレンチナッツS（4）
チェーンS（2）

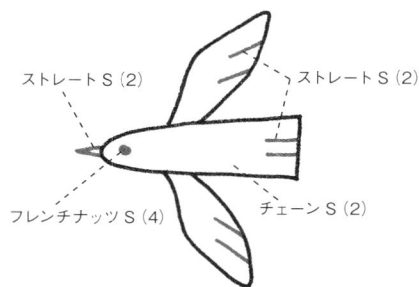

Dill flower
Page. 38

◎25番刺繍糸 ― ■ DMC 500（グリーン）
　　　　　　　 ■ DMC 224（ピンク）
※Sはステッチの略、（　）の中の数字は本数

フレンチナッツS（4）
ストレートS（2）
アウトラインS（3）

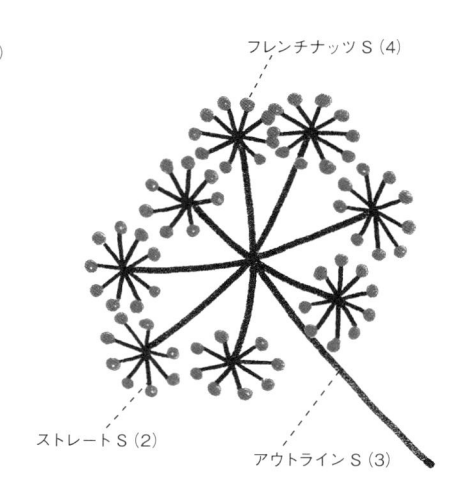

Fish ornament
Page. 37

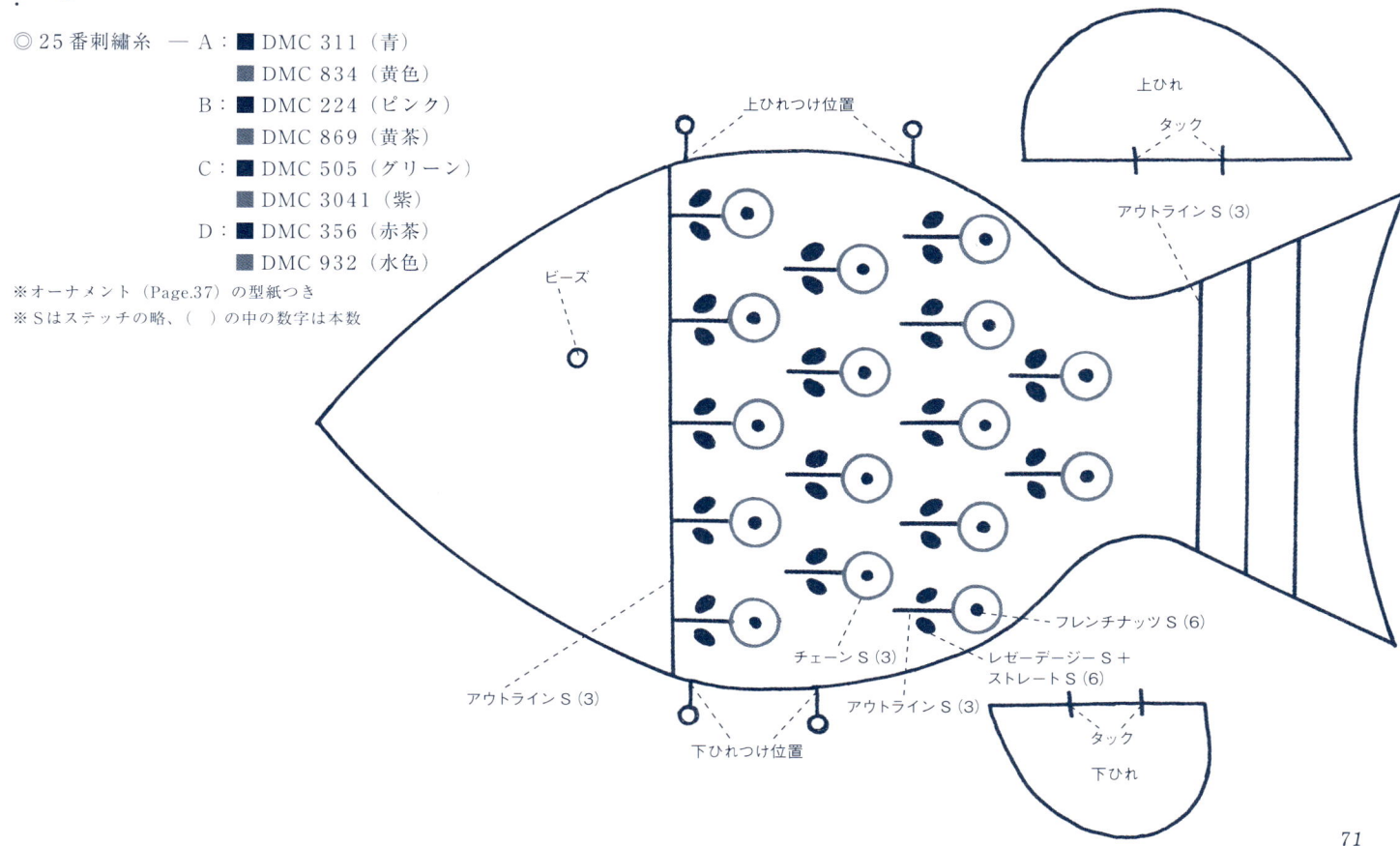

◎ 25番刺繍糸 ─ A：■ DMC 311（青）
　　　　　　　　■ DMC 834（黄色）
　　　　　　 B：■ DMC 224（ピンク）
　　　　　　　　■ DMC 869（黄茶）
　　　　　　 C：■ DMC 505（グリーン）
　　　　　　　　■ DMC 3041（紫）
　　　　　　 D：■ DMC 356（赤茶）
　　　　　　　　■ DMC 932（水色）

※オーナメント（Page.37）の型紙つき
※Sはステッチの略、（ ）の中の数字は本数

上ひれつけ位置
上ひれ
タック
アウトラインS（3）
ビーズ
フレンチナッツS（6）
チェーンS（3）
レゼーデージーS＋
ストレートS（6）
アウトラインS（3）
アウトラインS（3）
下ひれつけ位置
タック
下ひれ

Summer flowers
Page. 34

◎ 25番刺繍糸 —
- ■ DMC 645（グレー）
- ■ DMC 950（薄ピンク）

※指定以外はアウトラインS（2）
※Sはステッチの略、
　（ ）の中の数字は本数

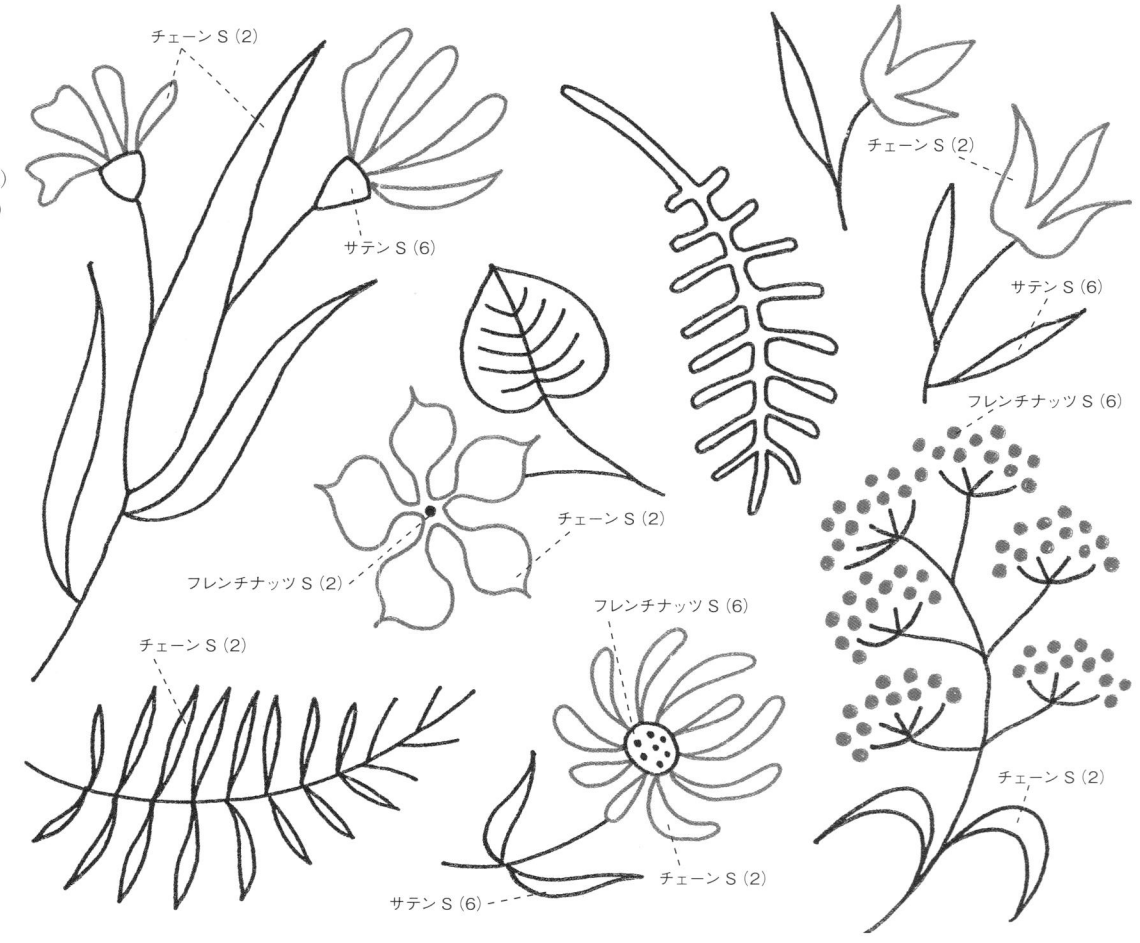

チェーンS（2）
サテンS（6）
チェーンS（2）
サテンS（6）
フレンチナッツS（6）
フレンチナッツS（2）
チェーンS（2）
チェーンS（2）
フレンチナッツS（6）
チェーンS（2）
サテンS（6）
チェーンS（2）

フレンチナッツ S (6)

チェーン S (2)

レゼーデージー S (2)

サテン S (6)

チェーン S (2)

フレンチナッツ S (2)

チェーン S (2)

サテン S (6)

73

Radish
Page. 40

◎ 25番刺繍糸 — ■ DMC 502（グリーン）
　　　　　　　■ DMC 817（赤）

※ Sはステッチの略、（ ）の中の数字は本数

チェーンS(2)

Pear
Page. 42

◎ 25番刺繍糸 — ■ DMC 500（グリーン）
　　　　　　　■ DMC 422（薄茶）

※ Sはステッチの略、（ ）の中の数字は本数

フレンチナッツS(3)

チェーンS(3)

アウトラインS(3)

アウトラインS(6)　　サテンS(6)

アウトラインS(3)

チェーンS(3)

レゼーデージーS＋
ストレートS(6)

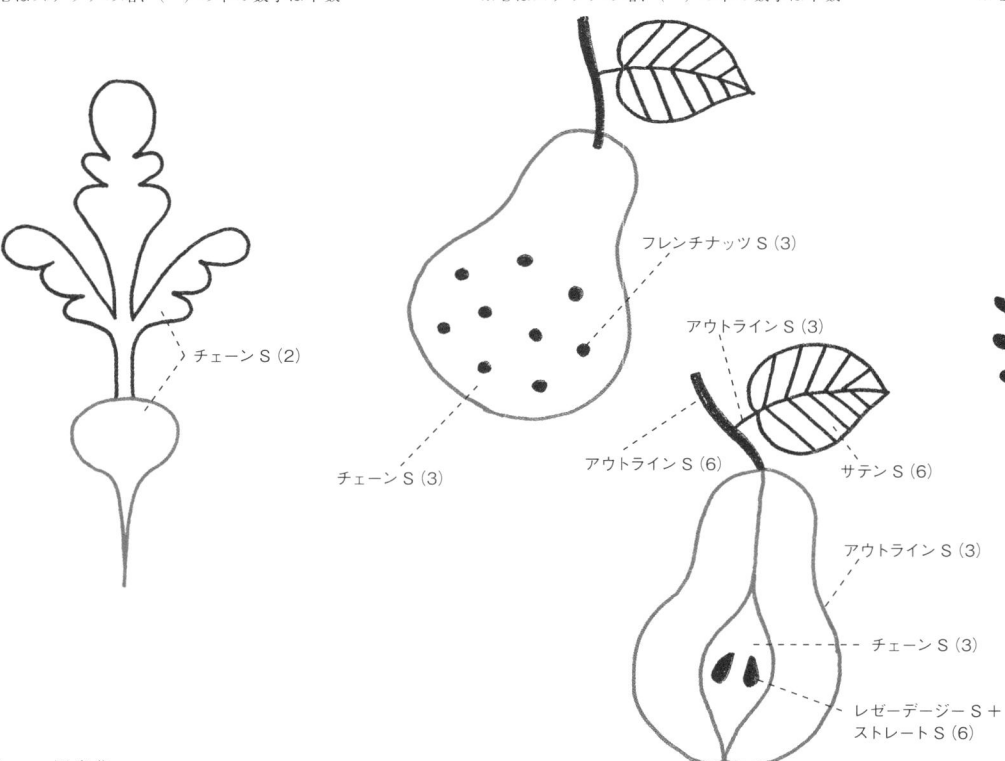

Pon pon flower
Page. 44

◎ 25番刺繍糸 — ■ DMC 3799（グレー）
　　　　　　　■ DMC 833（黄色）

※ Sはステッチの略、（ ）の中の数字は本数

フレンチナッツS(6)

レゼーデージーS＋
ストレートS(4)

チェーンS(2)

74　図案集

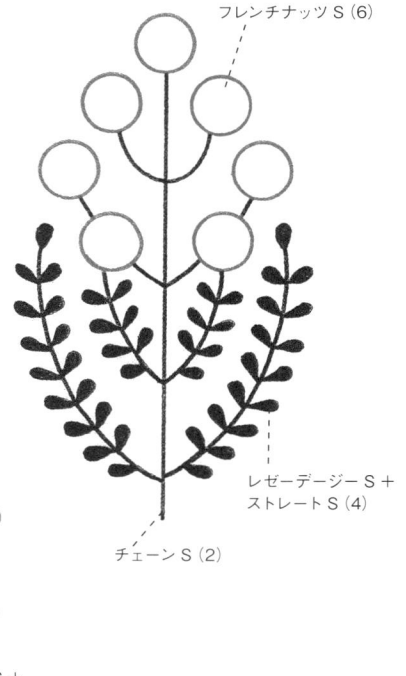

Tile pattern
Page. 46

◎ 25番刺繍糸 — ■ DMC 640（グリーン）
　　　　　　　■ DMC 754（薄ピンク）

※サシェ（Page.47）の型紙つき
※指定以外はチェーンS（2）
※Sはステッチの略、（ ）の中の数字は本数

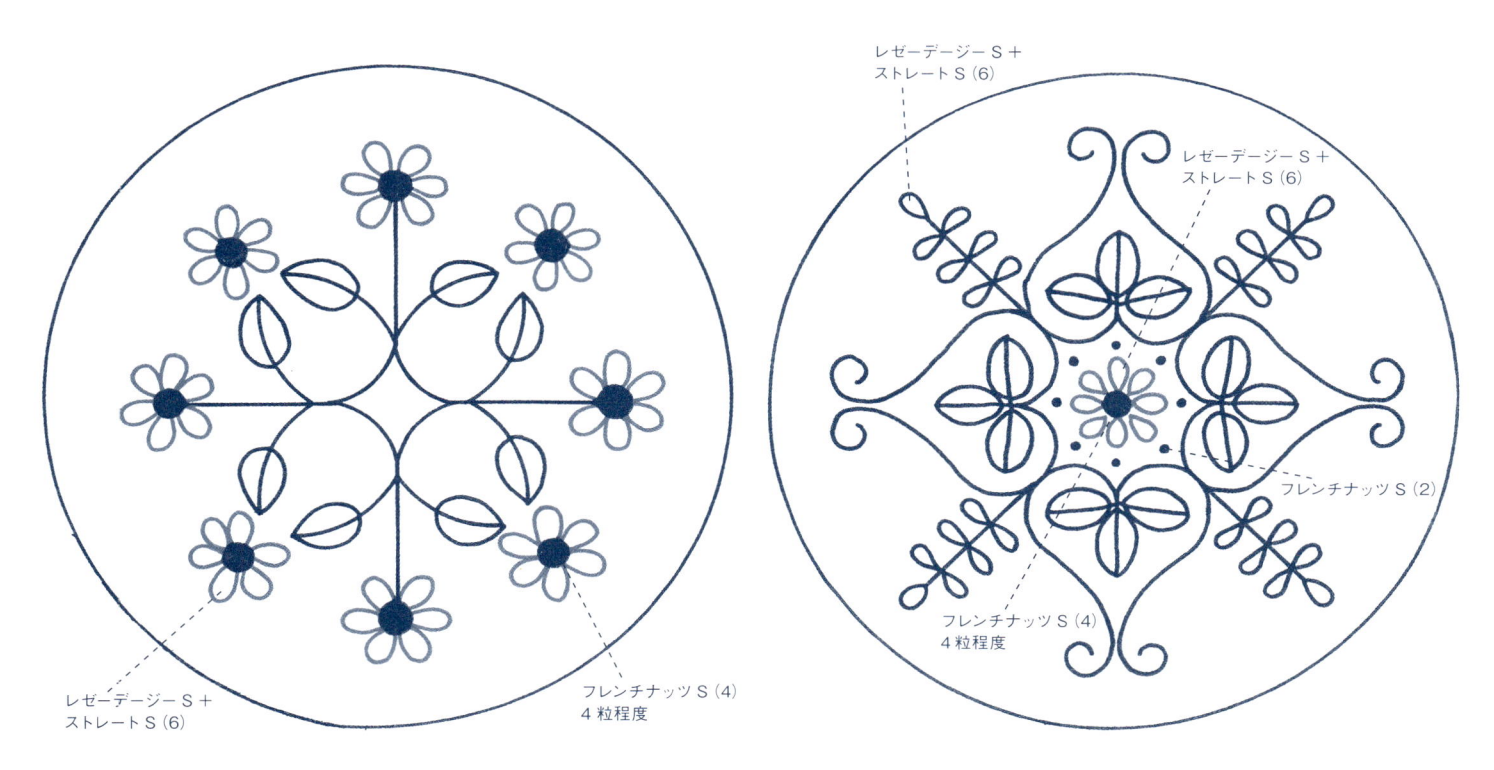

レゼーデージーS＋
ストレートS（6）

レゼーデージーS＋
ストレートS（6）

フレンチナッツS（2）

レゼーデージーS＋
ストレートS（6）

フレンチナッツS（4）
4粒程度

フレンチナッツS（4）
4粒程度

75

Peacock garden
がま口ポーチ

Page.6

【仕上りサイズ】
18 × 12cm

【25番刺繍糸】
■ DMC 645（グレー）― 1束
■ DMC 3852（黄色）― 2束

【材料】
表布：リネン（生成り）― 30 × 25cm
裏布：キルト生地（生成り）
　― 30 × 25cm
幅15cmくし形がま口口金（金）― 1個
紙ひも― 適量

【道具】
木工用ボンド
目打ちまたはマイナスドライバー
足どめやっとこ

【作り方】
＊がま口雑貨の作り方はp.56を参照

1 表布の表に図案、裏に型紙（p.90）を写して刺繍をしたら、縫い代1cmを足して裁つ。

2 表布を中表に二つ折りにし、両脇とまちをミシンで縫う。裏布も同様に裁ち、両脇とまちを縫う。

3 2の表袋と裏袋を中表に合わせ、返し口を5cm残して袋口を縫う。

4 縫い代を0.5cm残して裁つ。さらにカーブにそって縫い代に切込みを入れると、カーブが美しく仕上がる。

5 4を表に返して形を整え、返し口をとじながら、袋口の端から0.2cmの位置にミシンステッチをかける。

6 袋口にがま口金をとりつける。

Flower pattern
ミニバッグ

Page.7

【仕上りサイズ】
22 × 18cm

【25番刺繍糸】
■ DMC 644（薄グレー）― 2束
■ DMC 900（オレンジ）― 2束

【材料】
表布：リネン（ネービー）― 50 × 25cm
裏布：リネン（白）― 50 × 25cm
ひも：リネン（ネービー）
　― 5 × 40cm（持ち手用）
　― 3 × 40cm　2本（結びひも用）

【作り方】

1 持ち手用の布を四つ折りにしてミシンステッチをかける。結びひも用の布も同様にして2本作る。

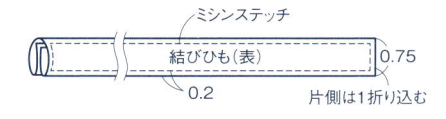

持ち手(表) 1.25 0.2

ミシンステッチ
結びひも(表) 0.75 0.2
片側は1折り込む

2 表布の表に、下図の位置に図案(p.63)を写して刺繍をしたら、4辺に縫い代1cmを足して裁つ。

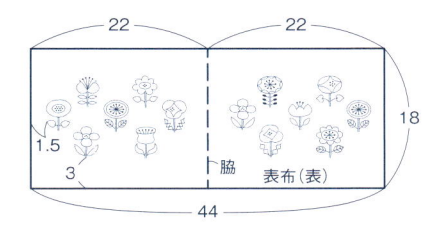

22　22
1.5
3　脇　表布(表)
18
44

3 2の表布を中表に二つ折りにし、袋口を残し袋状に縫う。裏布も同様に裁ってから袋状に縫う。

4 3の表袋と裏袋の袋口の縫い代1cmを裏側に折り込んだら、表袋を表に返し、そこに裏袋を入れる。

5 裏袋と表袋の袋口を整え、持ち手と結びひもを袋口にはさんだら、袋口の端から0.2cmの位置にぐるりとミシンステッチをかける。

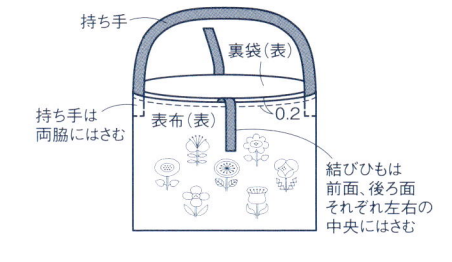

持ち手
裏袋(表)
持ち手は両脇にはさむ
表布(表) 0.2
結びひもは前面、後ろ面それぞれ左右の中央にはさむ

India pattern きんちゃく

Page.13

【仕上りサイズ】

13 × 18cm

【25番刺繍糸】

■ DMC 932(水色)― 1束
■ DMC 3756(薄水色)― 1束

【材料】

表布:リネン(青)― 55 × 20cm
0.3cm幅ひも(ネービー)― 40cm　2本

【作り方】

1 表布の表に、下図の位置に図案（p.64）を写して刺繡をしたら、4辺に縫い代1cmを足して裁つ。

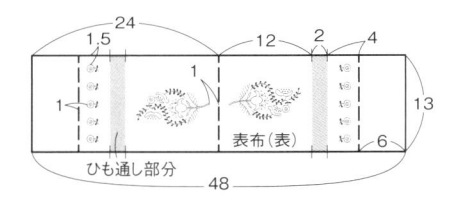

```
      24              12    2  4
   1.5                        
1                1        1        
                              13
         表布（表）            6
   ひも通し部分
         48
```

2 1の表布の縫い代をジグザグミシンで始末する。

3 2の表布を中表に二つ折りにし、ひも通し口を残して両脇を縫い合わせ、縫い代を割る。

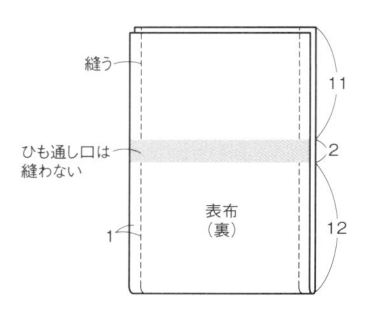

```
縫う                   11
ひも通し口は    2
縫わない
        表布
        （裏）
    1                  12
```

4 3を表に返して形を整えたら、袋口を7cm内側に折り込む。

5 袋口から4cmと6cmの位置にそれぞれぐるりとミシンステッチをかける。

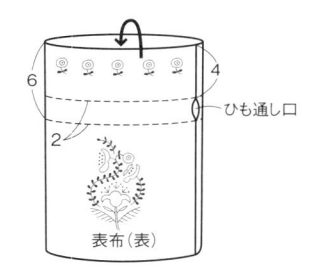

```
   6                 4
                  ひも通し口
   2
       表布（表）
```

6 両脇のひも通し口に左右からひもを通して結ぶ。

Flower wreath
テーブルコースター

Page.15

【仕上りサイズ】

直径16cm

【25番刺繡糸】

■ DMC 823（ネービー）— 2束

■ DMC 3042（薄紫）— 1束

【材料】

表布：リネン（白）— 20×20cm

裏布：リネン（白）— 20×20cm

【作り方】

1 表布の表に図案、裏に型紙（p.91）写して刺繍をしたら、縫い代1cmを足して裁つ。

2 裏布も表布と同様に裁ち、*1* の表布と中表に合わせる。返し口4cmを残して縫う。

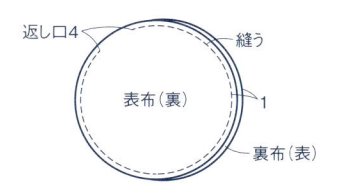

3 縫い代を0.5cm残して裁つ。さらにカーブにそって縫い代に切込みを入れると、カーブが美しく仕上がる。

4 返し口から表に返し、形を整えたら、返し口をまつり縫いでとじる。

Dancing birds
眼鏡ケース

Page.17

【仕上りサイズ】
9×20cm

【25番刺繍糸】
■ DMC 646（グレー）— 1束
■ DMC 739（アイボリー）— 1束

【材料】
表布：リネン（赤茶）
　— 15×45cm　1枚
裏布：キルト生地（生成り）
　— 15×45cm　1枚
0.3cm幅ひも— 10cm
直径1.8cmボタン— 1個

【作り方】

1 表布の表に右上図の位置に図案（p.66）を写して刺繍をしたら、4辺に縫い代1cmを足して裁つ。

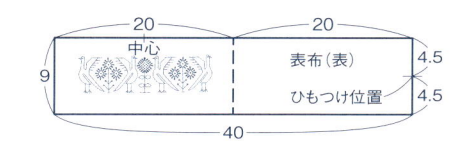

2 *1* の表布を中表に二つ折りにし、両脇を縫う。裏布も同様に裁ち、返し口を5cmあけて両脇を縫う。

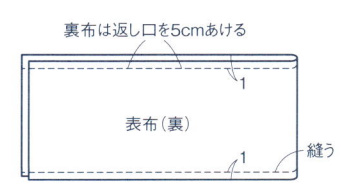

3 表袋と裏袋を中表に重ね、袋口の中央に二つ折りにしたひもをはさみ込んで袋口を縫う。

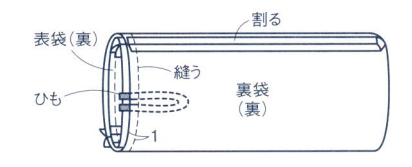

4 *3* を表に返して形を整え、返し口をまつり縫いでとじる。表袋・前面の袋口の中央にボタンを縫いつける。

79

Little trees
ネクタイ

Page.19

【仕上りサイズ】

7.5 × 140cm

【25番刺繍糸】

■ DMC 502（グリーン）— 3束
■ DMC 841（ベージュ）— 1束

【材料】

表布：リネン（茶）— 150 × 20cm
裏布：リネン（ベージュ）
　　— 20 × 15cm（大剣用）
　　— 15 × 10cm（小剣用）

【作り方】

1 表布の表に下図の位置に図案（p.64）を写して刺繍をしたら、縫い代1.5cmを足して裁つ。裏布は下図の寸法で縫い代をつけずに裁つ。

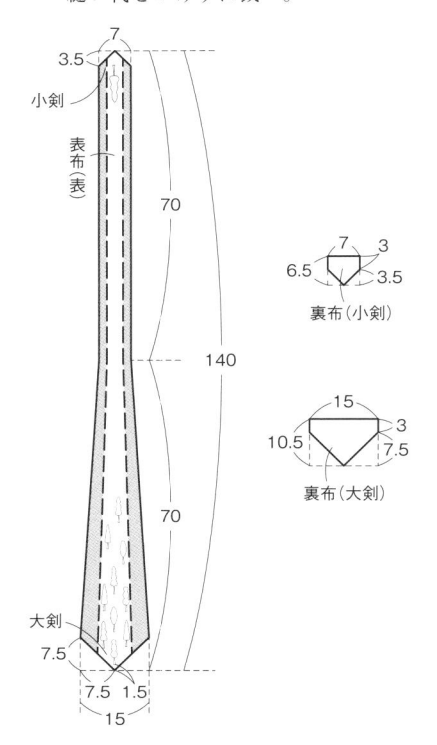

2 表布の縫い代を裏側に折り込む。裏布2枚は7cmと15cmの辺以外の布端を0.5cm裏側に折り込む。

3 2の裏布を表布の各剣先部分の裏に重ね、まつり縫いでつける。

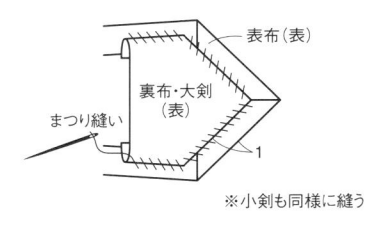

※小剣も同様に縫う

4 3の長い両辺をさらに裏側中央に突き合わせて折り、ネクタイの形に整え、かがり縫いでとめる。

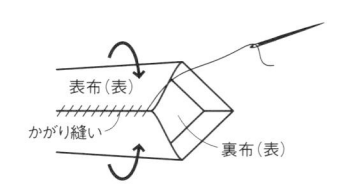

Lily of the valley
アイマスク

Page.21

【仕上りサイズ】
19×10cm

【25番刺繍糸】
■ DMC 890（グリーン）― 1束
■ DMC ecru（生成り）― 1束

【材料】
表布：リネン（水色）― 25×15cm　2枚
芯布：キルト生地（生成り）― 25×15cm
バンド部分：リネン（水色）― 4×47cm
0.5cm幅ゴムテープ― 35cm

【道具】
ひも通し

【作り方】

1 バンド部分用の布を中表に折って縫い、表に返したら、ゴムテープをひ

も通しで通し、両端をとめる。

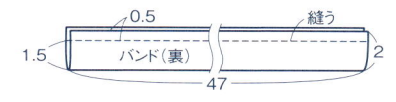

0.5　縫う
1.5　バンド（裏）　2
47

2 表布の1枚の表に図案、裏に型紙（p.91）を写して刺繍をしたら、縫い代1cmを足して裁つ。

3 もう1枚の表布と芯布は2の表布と同様に裁つ。表布2枚を中表に合わせ、間に1のバンド部分をはさみ、芯布を重ねたら、返し口4cmを残して縫う。

返し口4
バンド部分　表布（裏）　表布（表）
縫う
芯布

4 縫い代0.5cmを残して裁つ。さらにカーブにそって縫い代に切込みを入れると、カーブが美しく仕上がる。

5 4を表に返し、返し口をまつり縫いでとじる。

Puffball
がま口ネックレス

Page.23

【仕上りサイズ】
4.5×7cm

【25番刺繍糸】
■ DMC 562（グリーン）― 1束
■ DMC 721（オレンジ）― 1束

【材料】
表布：リネン（生成り）
　― 15×10cm　2枚
裏布：好みのリネン― 15×10cm
幅3.6cm 深丸がま口口金（金）― 1個
紙ひも― 適量
チェーンネックレス（金）― 70cm

【道具】
木工用ボンド
目打ちまたはマイナスドライバー
足どめやっとこ

81

【作り方】

＊がま口雑貨の作り方はp.56を参照

1 表布2枚の表に図案、裏に型紙（p.68）を写して刺繡をしたら、縫い代1cmを足して裁つ。

2 1の表布2枚を中表に合わせ、縫止りまで脇と底を縫う。裏布も同様に2枚裁って縫い合わせる。

3 2の表袋と裏袋を中表に合わせ、返し口を3〜4cm残して袋口を縫う。

4 縫い代を0.5cm残して裁つ。さらにカーブにそって縫い代に切込みを入れると、カーブが美しく仕上がる。

5 4を表に返して形を整え、袋口の端から0.2cmの位置にミシンステッチをかける。

6 袋口にがま口金をとりつけ、チェーンネックレスを通す。

82　雑貨の作り方

Leaf pattern
カードケース

Page.27

【仕上りサイズ】

10.5 × 7cm

【25番刺繡糸】

A（ネービー）：
- ■ DMC ecru（生成り）— 2束
- ■ DMC 869（茶）— 2束

B（黄色）：
- ■ DMC B5200（白）— 2束
- ■ DMC 823（ネービー）— 2束

【材料】（1個分）

表布：リネン（A ネービー／B 黄色）— 40 × 10cm

裏布：リネン（生成り）— 40 × 10cm

【作り方】

1 表布の表に、下図の位置に図案（p.69）を写して刺繡をしたら、4辺に縫い代1cmを足して裁つ。

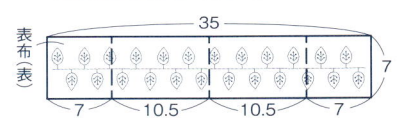

2 裏布も同様に裁ったら、表布と裏布を中表に合わせ、返し口4cmを残してぐるりと縫う。縫い代は0.5cm残して裁つ。

3 2を表に返し、形を整えて返し口をまつり縫いでとじたら、両端を7cm裏布側に折り、0.2cmの位置にミシンステッチをかける。

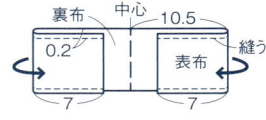

4 3を内側に二つ折りにして、中央から0.5cmの位置を縫いとめる。

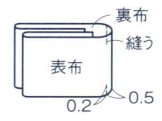

Yacht
シャツ

Page.29

【25番刺繍糸】

■ DMC 311（青）― 1束

■ DMC ecru（生成り）― 1束

【材料】

市販の子ども用シャツ

【作り方】

シャツの好みの位置に図案（p.69）を写して刺繍をする。

Pineapple
ベビーパンツ

Page.31

【仕上りサイズ】

胴回り約45cm×丈約24cm

【25番刺繍糸】

■ DMC 3852（黄色）― 4束

■ DMC 699（グリーン）― 2束

【材料】

表布：リネン（白）
 ― 40×35cm　2枚
0.5cm幅ゴムテープ
 ― 30cm　2本（足部分用）
 ― 50cm（胴回り部分用）

【道具】

ひも通し

【作り方】

1　表布2枚それぞれの表に図案、裏に型紙（p.92）を写して刺繍をしたら、下図のように縫い代を足して裁つ。

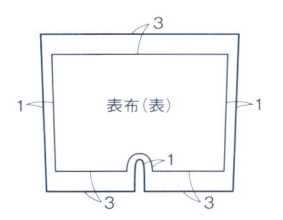

2　1の表布2枚の縫い代をジグザグミシンで始末する。

3　表布2枚を中表に合わせ、両脇と股部分を縫う。

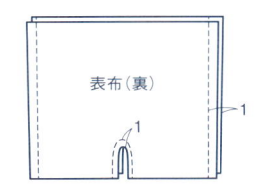

4 両足部分の縫い代を三つ折りにし、ゴムテープ通し口2cmをあけて折り山から0.2cmの位置をぐるりと縫う。

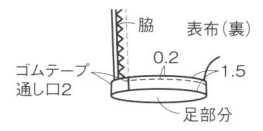

5 胴回り部分も4と同様に、縫い代を三つ折りにし、ゴムテープ通し口2cmをあけて、折り山から0.2cmの位置をぐるりと縫う。

6 5を表に返し、ゴムテープ通し口からゴムテープを通して結ぶ。胴回りは赤ちゃんのサイズに合わせる。

Summer flowers
レター型ポーチ

Page.36

【仕上りサイズ】
21×10cm

【25番刺繍糸】
■ DMC 712（薄クリーム）— 2束
■ DMC 356（濃ピンク）— 2束

【材料】
表布：リネン（グレー）— 35×25cm
裏布：リネン（ピンク）— 35×25cm
0.3cm幅ひも — 50cm　2本

【作り方】

1 表布の表に図案、裏に型紙（p.93）を写して刺繍をしたら、縫い代1cmを足して裁つ。

2 裏布も表布と同様に裁ち、表布と裏布を中表に合わせ、ひも2本をはさみ込み、返し口5cmを残してぐるりと縫う。

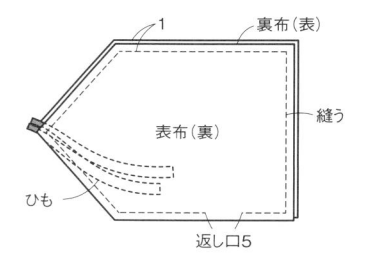

3 縫い代を0.5cm残して裁つ。

4 返し口から表に返し、形を整えたら、底側を9.5cm折り、両脇の端から0.2cmの位置にミシンステッチをかける。ひもの端はひと結びする。

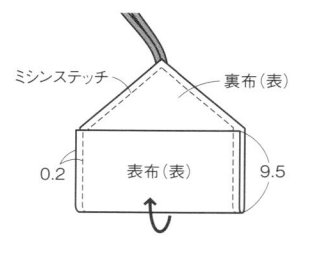

Fish ornament
オーナメント

Page.37

【仕上がりサイズ】
15×12cm

【25番刺繍糸】
A（水色）：
■ DMC 311（青）— 1束
■ DMC 834（黄色）— 1束
B（青緑）：
■ DMC 224（ピンク）— 1束
■ DMC 869（茶）— 1束
C（薄ピンク）：
■ DMC 505（グリーン）— 1束
■ DMC 3041（紫）— 1束
D（グリーン）：
■ DMC 356（赤茶）— 1束
■ DMC 932（水色）— 1束

【材料】（1個分）
表布：リネン（A 水色／B 青緑／
　　C 薄ピンク／D グリーン）
　　— 20×15cm　2枚
ひれ部分：リネン（表布と同色）
　　— 8×10cm（上ひれ用）
　　— 7×10cm（下ひれ用）
手芸わた— 適量
ビーズ（白）— 2粒

【作り方】

1 上ひれ部分の布に型紙（p.71）を写して縫い代1cmを足して2枚裁ち、中表に合わせて縫って表に返す。下ひれ部分の布も同様にする。

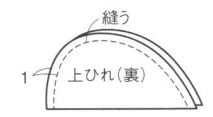

2 表布2枚の表に図案、裏に型紙（p.71）を写して刺繍をしたら、縫い代1cmを足して裁つ。

3 2の表布2枚を中表に合わせ、返し口3cmを残して縫う。その際、1の上ひれと下ひれを中央にタックをたたみながらはさみ込んで縫う。

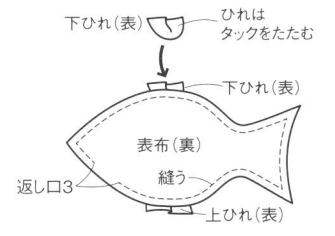

4 縫い代を0.5cm残して裁つ。さらにカーブにそって縫い代に切込みを入れると、カーブが美しく仕上がる。

5 返し口から表に返して形を整え、手芸わたを詰めたら、返し口をまつり縫いでとじる。

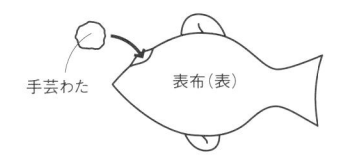

6 目の位置にビーズを縫いつける。

Dill flower
ハンガーカバー

Page.39

【仕上りサイズ】
46 × 19cm

【25番刺繡糸】
■ DMC 500（グリーン）— 1束
■ DMC ecru（生成り）— 2束

【材料】
表布：リネン（グレー）
　— 50 × 25cm　2枚
ひも：リネン（グレー）
　— 3 × 30cm　4枚

＊使用するハンガーによって形が異なります。型紙を写す際に確認してください。

【作り方】

1 ひも用の布を四つ折りにしてミシンステッチをかける。同様に4本作る。

ミシンステッチ
ひも（表）
0.75
0.2
片側は1折り込む

2 表布2枚の裏に型紙（p.94）を写し、配置見本を参考に図案（p.70）を写して刺繡をしたら、縫い代1.5cmを足して裁つ。

3 表布2枚を中表に合わせ、ハンガー通し口と底を残して縫う。

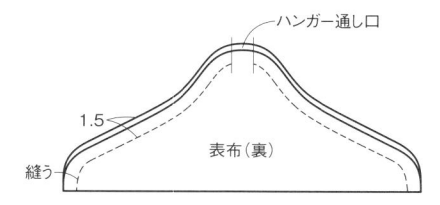

ハンガー通し口
1.5
縫う
表布（裏）

4 3の縫い代を0.5cm残して裁ち、底の縫い代を裏側に三つ折りに折り込み、ミシンステッチをかける。

5 4を表に返し、ひもつけ位置4か所に、1のひもを縫いつける。

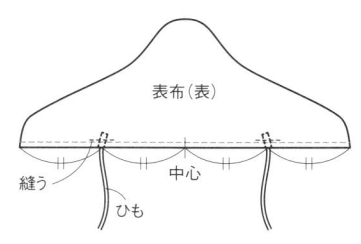

表布（表）
縫う
ひも
中心

※向う側も同じ位置にひもを縫いつける

Radish
キッチンミトン

Page.41

【仕上りサイズ】
18×33cm

【25番刺繍糸】
■ DMC 502（グリーン）— 2束
■ DMC 817（赤）— 1束

【材料】
表布：リネン（生成り）
　— 25×40cm　2枚
裏布：キルト生地（生成り）
　— 25×40cm　2枚
ひも：リネン（生成り）— 3×6cm

【作り方】

1 ひも用の布を四つ折りにしてミシンステッチをかける。

2 表布・甲側の表に図案、裏に型紙(p.95)を写して刺繍をしたら、縫い代1cmを足して裁つ。

3 表布・てのひら側は型紙を反転させ写して、縫い代1cmを足して裁つ。裏布も表布と同様に型紙を写して裁つ。

4 表布2枚を中表に合わせ、*1*のひもをわにしてはさみ込み、入れ口を残して縫う。裏布も同様に縫い合わせる。

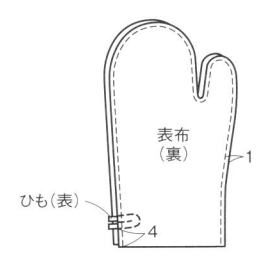

5 *4*の表袋と裏袋の入れ口の縫い代1cmを内側に折り込んだら、表袋を表に返し、そこに裏袋を入れる。

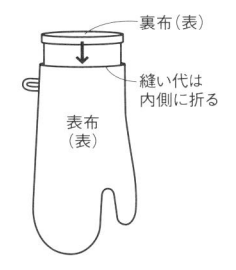

6 入れ口を整え、入れ口の端から0.2cmの位置にミシンステッチをかける。

Pear
クロス

Page.43

【仕上りサイズ】
40 × 40cm

【25番刺繍糸】
■ DMC 3371（こげ茶）― 2束
■ DMC 3012（グリーン）― 4束

【材料】
40 × 40cmの市販のリネンクロス― 1枚

【作り方】
クロス4辺の端に図案（p.74）をバランスよく写して刺繍をする。

Pon pon flower
カフェエプロン

Page.45

【仕上りサイズ】
100 × 36cm

【25番刺繍糸】
■ DMC 645（グレー）― 4束
■ DMC 834（黄色）― 2束

【材料】
表布：リネン（薄グレー）― 45 × 105cm
ポケット：リネン（薄グレー）
　― 25 × 45cm
ひも：リネン（薄グレー）
　― 10 × 70cm　2枚

【作り方】

1 ひも用の布を2.5cm幅に四つ折りにしてミシンステッチをかける。2本作る。
＊作り方はp.77「ミニバッグ」手順1を参照

2 表布は下図の寸法にそれぞれ縫い代2cmを足して裁つ。縫い代2cmを三つ折りにして、周囲にミシンステッチをかける。

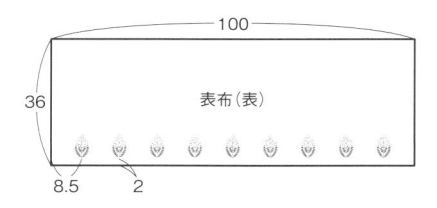

表布（表）　100 × 36
8.5　2

3 表布に図案（p.74）を写して刺繍をする。

4 ポケット用の布は下記の寸法に裁ち、ポケット口の縫い代を三つ折りにしてミシンステッチをかける。周囲を1cm折って表布に縫いつける。ひもつけ位置2か所に、*1* のひもを縫いつける。

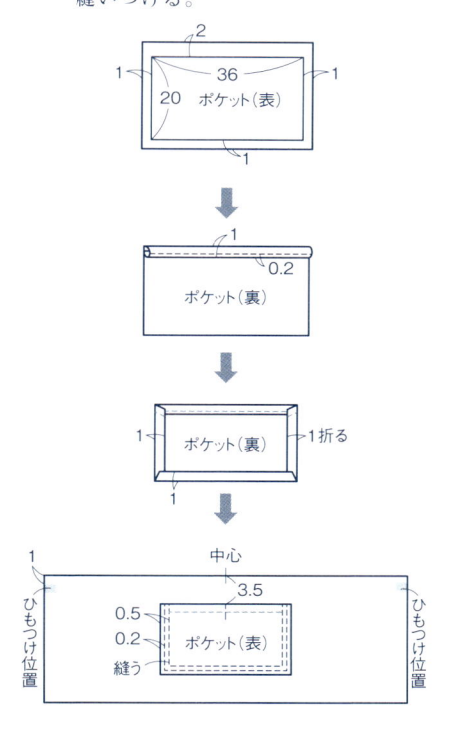

Tile pattern
サシェ

Page.47

【仕上りサイズ】
直径9cm

【25番刺繍糸】
■ DMC 640（グリーン）— 1束
■ DMC 754（薄ピンク）— 1束

【材料】
表布：リネン（グリーン）
　— 15×15cm　2枚
裏布：リネン（グリーン）
　— 50×10cm　1枚
0.5cm幅ひも— 30cm

【作り方】

1 表布2枚の表に図案、裏に型紙（p.75）を写して刺繍をしたら、縫い代1cmを足して裁つ。

2 裏布に型紙（p.95）を写して縫い代1cmを足して裁ち、直線の辺を三つ折りにしてミシンステッチをかける。2枚作る。

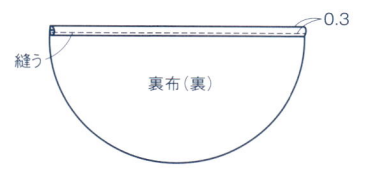

3 表布に裏布2枚を中表に重ね、ひもをはさみ込んだら、ぐるりと縫う。

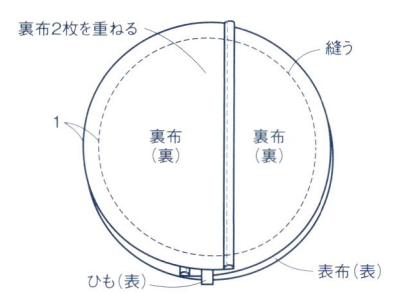

4 縫い代を0.5cm残して裁ち、表に返す。同様にもう1個のサシェも作る。

〈 型紙 〉

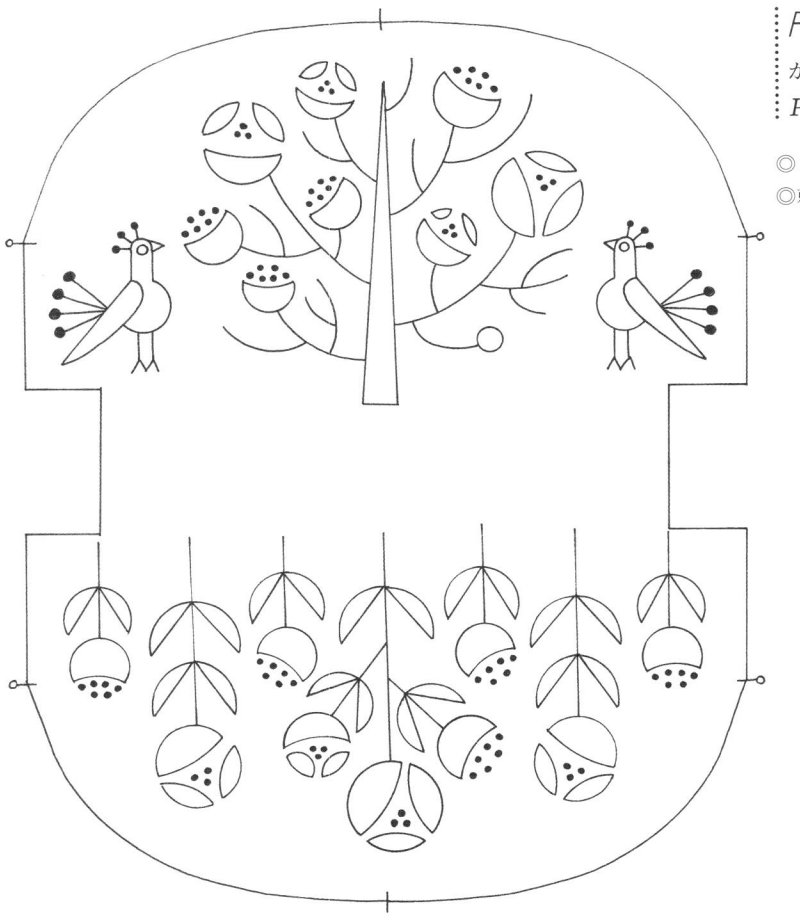

Peacock garden
がま口ポーチ
Page.76

◎ 200％に拡大
◎ 刺し方は p.60

90　型紙

Flower wreath
テーブルコースター
Page.78

◎ 200%に拡大
◎ 刺し方は p.65

Lily of the valley
アイマスク
Page.81

◎ 200%に拡大
◎ 刺し方は p.67

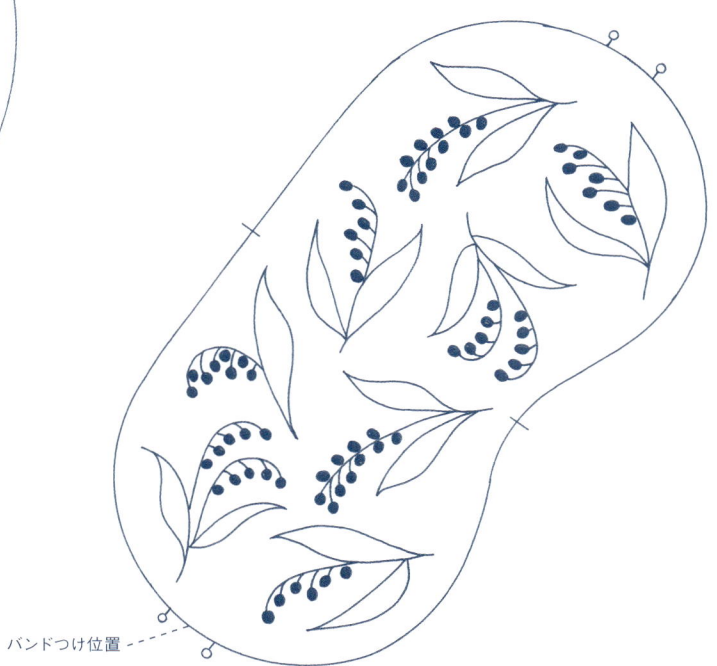

バンドつけ位置

91

Pineapple
ベビーパンツ
Page.83

◎ 200%に拡大
◎ 刺し方は p.70

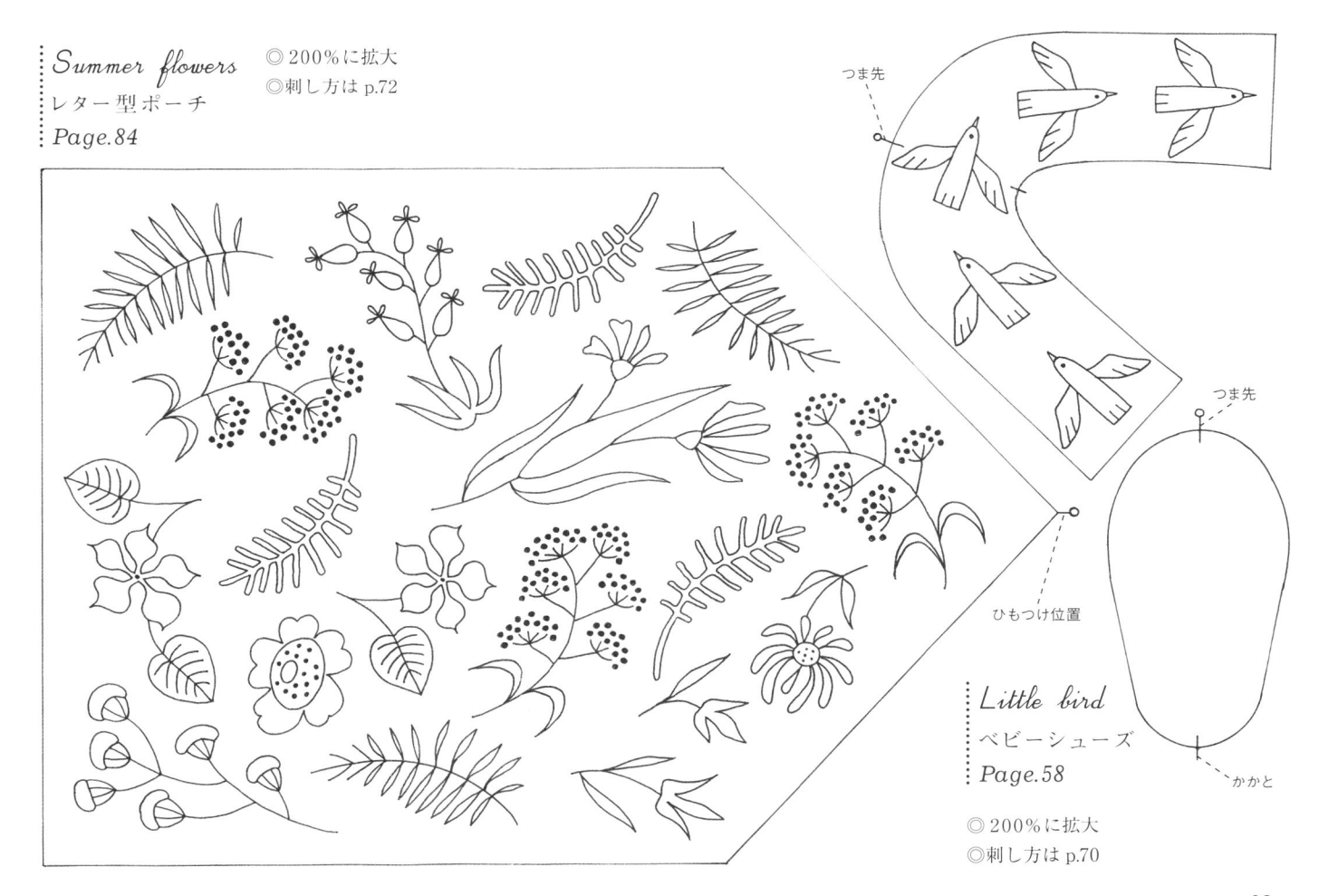

Summer flowers
レター型ポーチ
Page.84

◎ 200%に拡大
◎ 刺し方は p.72

つま先

Little bird
ベビーシューズ
Page.58

つま先
ひもつけ位置
かかと

◎ 200%に拡大
◎ 刺し方は p.70

93

Dill flower
ハンガーカバー
Page.86

◎ 200％に拡大
◎ 刺し方は p.70

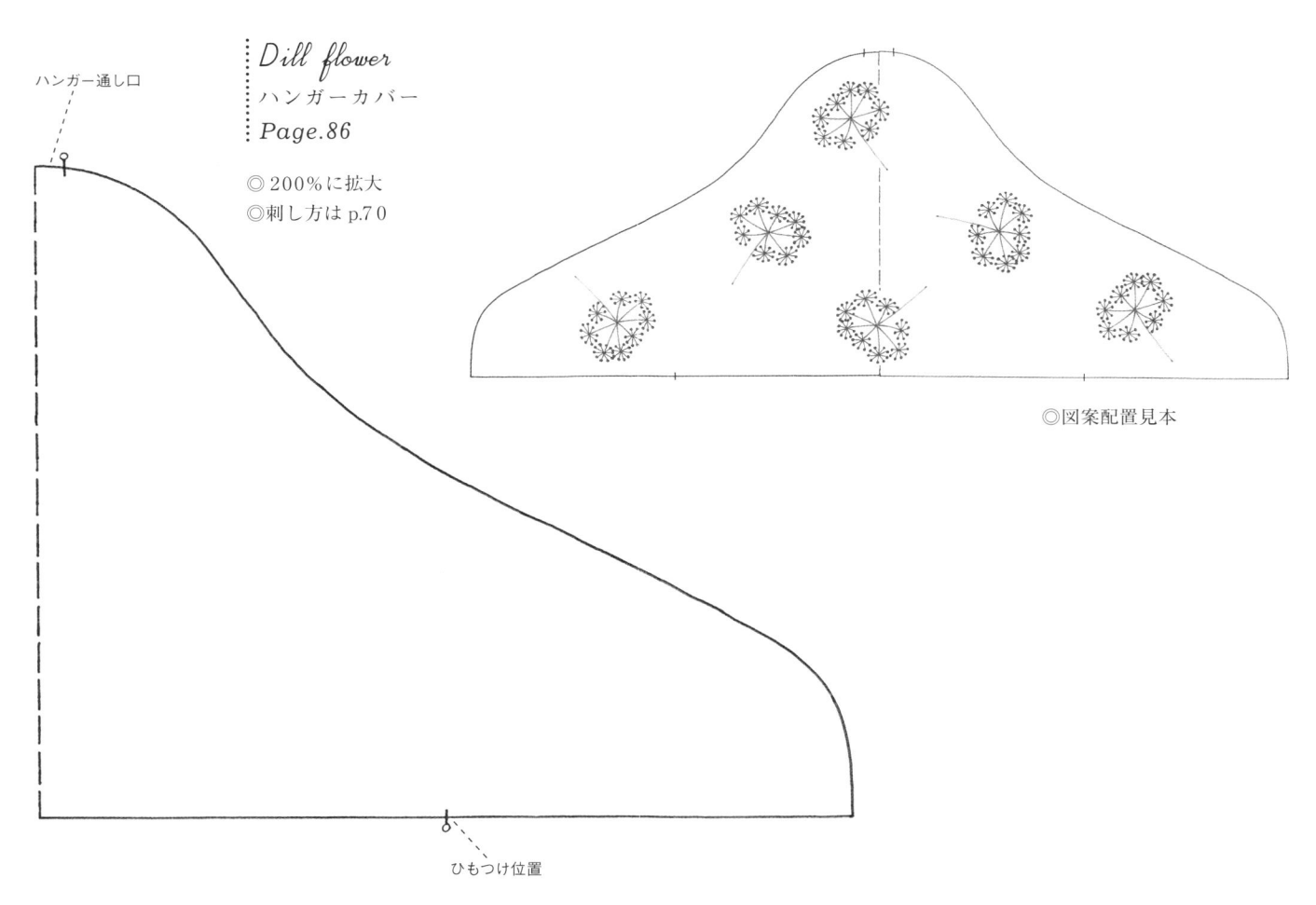

ハンガー通し口

◎図案配置見本

ひもつけ位置

94　型紙

裏布×4枚

Tile pattern
サシェ
Page.89

Radish
キッチンミトン
Page.87

◎200%に拡大
◎刺し方はp.74

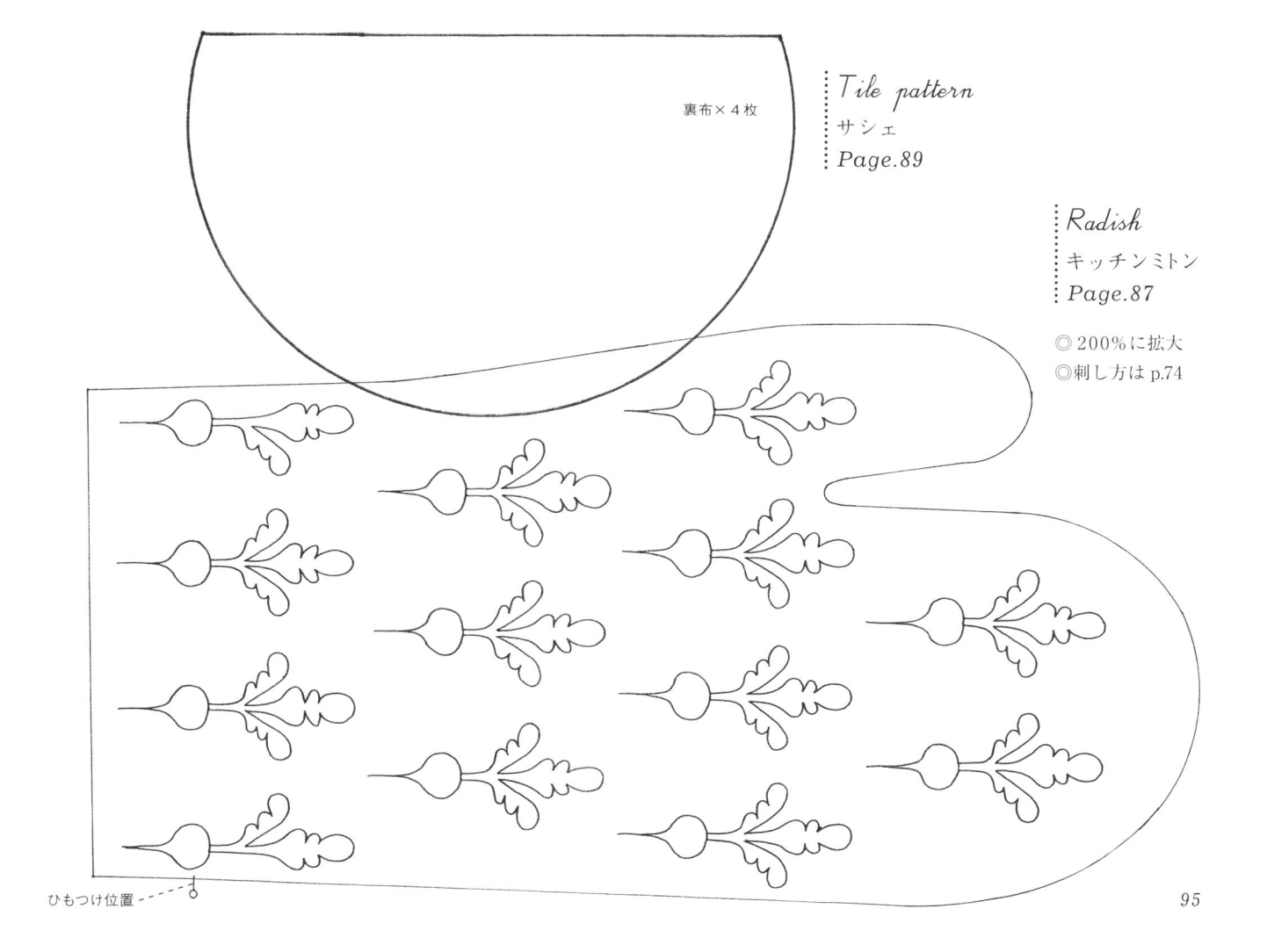

ひもつけ位置

95

樋口愉美子（ひぐち・ゆみこ）

1975年生れ。多摩美術大学卒業後、ハンドメードバッグデザイナーとして活動。ショップでの作品販売や作品展を行なった後、2008年より刺繍作家としての活動を開始する。植物や昆虫など生物をモチーフにしたオリジナル刺繍を製作発表している。著書に『1色刺繍と小さな雑貨』、『樋口愉美子のステッチ12ヶ月』、『刺繍とがま口』、『樋口愉美子の刺繍時間』、『樋口愉美子の動物刺繍』、『樋口愉美子 季節のステッチ』など。

http://yum.kohiguchi.com

2色で楽しむ刺繍生活

2014年 6月22日　第1刷発行
2020年10月15日　第14刷発行
著　者　樋口愉美子
発行者　濱田勝宏
発行所　学校法人文化学園 文化出版局
　　　　〒151-8524 東京都渋谷区代々木3-22-1
　　　　電話 03-3299-2485（編集）　03-3299-2540（営業）
印刷・製本所　株式会社文化カラー印刷

©Yumiko Higuchi 2014 Printed in Japan
本書の写真、カット及び内容の無断転載を禁じます。

・本書のコピー、スキャン、デジタル化等の無断複製は著作権法上での例外を除き禁じられています。本書を代行業者等の第三者に依頼してスキャンやデジタル化することは、たとえ個人や家庭内での利用でも著作権法違反になります。

・本書で紹介した作品の全部または一部を商品化、複製頒布、及びコンクールなどの応募作品として出品することは禁じられています。

・撮影状況や印刷により、作品の色は実物と多少異なる場合があります。ご了承ください。

文化出版局のホームページ　http://books.bunka.ac.jp/

材料協力	リネンバード　二子玉川 東京都世田谷区玉川 3-12-11 Tel. 03-5797-5517 http://www.linenbird.com/ DMC Tel. 03-5296-7831 http://www.dmc.com（グローバルサイト） http://www.dmc-kk.com（WEBカタログ） 株式会社 角田商店 東京都台東区鳥越 2-14-10 Tel. 03-3851-8186 http://shop.towanny.com/ ※がま口口金
撮影協力	mu・mu Tel. 03-3794-8805 AWABEES Tel. 03-5786-1600 UTUWA Tel. 03-6447-0070
ブックデザイン	塚田佳奈（ME&MIRACO）
撮影	masaco
スタイリング	前田かおり
ヘアメイク	KOMAKI
モデル	レイチェル・マックマスター（Sugar&Spice）
トレース＆DTP	関 和之（WADE）
校閲	向井雅子
編集	土屋まり子（スリーシーズン） 西森知子（文化出版局）